S0-CCA-562
鬼谷子
［战国］鬼谷子◎著
梦华◎主编
吉林文史出版社

图书在版编目（CIP）数据

鬼谷子 / 梦华主编 . -- 长春 : 吉林文史出版社，2018.11（2019.6 重印）

ISBN 978-7-5472-5719-7

Ⅰ . ①鬼… Ⅱ . ①梦… Ⅲ . ①纵横家 Ⅳ . 中国 ① B228.01

中国版本图书馆 CIP 数据核字（2018）第 256408 号

鬼谷子

GUI GU ZI

主　　编　梦　华
责任编辑　张雅婷
封面设计　末末美书
出版发行　吉林文史出版社有限责任公司
地　　址　长春市福祉大路出版集团A座
电　　话　0431-81629353
网　　址　www.jlws.com.cn
印　　刷　天津一宸印刷有限公司
开　　本　880 毫米 ×1230 毫米　1/32 开
印　　张　8
字　　数　166 千
版　　次　2018 年 11 月第 1 版　　2019 年 6 月第 4 次印刷
定　　价　36.80 元
书　　号　ISBN 978-7-5472-5719-7

前言

中国人向来有追溯历史的传统，五千年博大精深的文化底蕴流淌在民族的血液里，根植在国人的心灵中。我们追记历史，其实就是关怀当下，就是想从遗风遗俗中窥见前人的智慧，寻求当下问题的解决之道。正因如此，那些名噪一时、开宗立派的代表人物才总是凝聚着后人探索的目光。也因此，《鬼谷子》受到世人追捧，逐渐浮出水面。

鬼谷子，战国时期著名的思想家、谋略家、兵家，是纵横家的鼻祖，姓王名诩。常入云梦山采药修道，因隐居清溪之鬼谷，故自称鬼谷先生。他长于修身养性，精于心理揣摩，深明刚柔之势，通晓捭阖之术，独具通天之智，是先秦最神秘的历史人物。由于他的出现，历史上才有了纵横家的深谋，兵家的锐利，法家的霸道，儒家的刚柔并济，道家的待机而动。他的弟子有兵家孙膑、庞涓；纵横家苏秦、张仪等。

鬼谷子灵活运用古老的阴阳学说，解释并驾驭战国时代激烈的社会矛盾，制定出一整套了解社会并干预社会的计谋权术，构建了纵横游说之术的系统理论。这个理论培养了众多杰出的军事将领和游说之士，他们在历史舞台上演出了“合纵”“连横”的一幕幕风云变幻的戏剧场面，操纵战国政治、军事斗争形势约百年之久。鬼谷子的纵横理论影响深远，不仅在中国古代哲学政治思想领域独树一帜，还被宗教家、军事家等从不同的角度解读和运用。

《鬼谷子》着重于实践的方法，具有极完整的领导统御、智谋策略体系，堪称“中国第一奇书”，它以谋略为主，兼通军事，也是我国历史上第一步在充分探索人的心理特征和心理活动规律的基础上，论述劝谏、建议、协商、谈判和一般交际技巧的书。它讲授了不少政治斗争权术，其中最重要的是取宠术、制君术、交友术和制人术。“智用于众人之所不能知，而能用于众人之所不能”，潜谋于无形，常胜于不争不费，此为《鬼谷子》之精髓所在。

对于这本书，古往今来，人们从不同的角度解读，著作车载斗量、浩如烟海。其中观点驳杂、引经据典、卷帙浩繁，今人阅读，十分不便。为了增强可读性和实用性，我们编辑了这本《鬼谷子全书》。全书分为《捭阖》《反应》《内揵》《抵巇》《飞箝》《忤合》《揣》《摩》《权》《谋》《决》《符言》《本经阴符七术》《持枢》《中经》十五篇。前面四篇以权谋策略为主，中间八篇以言辩游说为重点，后面三篇则以修身养性、内心修炼为核心。

本书对原作做了精当而晓畅的注释与翻译，每篇皆附有提要以解析、导读，并精选了古今中外颇具代表性的案例，涵盖管理、商场、职场、处世等各个领域，逐篇阐释、解读，用精彩纷呈的故事呈现出鬼谷子的智慧谋略。

高深精妙的权谋策略与处世智慧更是展露无遗，不仅妙趣横生，更能给读者以启发，让读者有所收获。融哲理性、故事性、实用性于一体，是各类读者参悟运用鬼谷子大智慧的首选读本。

在竞争日益激烈的当今社会，无论是竞争双方还是合作对象，无时无刻不在进行着较量，都在寻求制胜自强之道。一国的外交战术得益与否，关系到国家之生死存亡；一个人的生意谈判与竞争策略是否得当，关系到企业经营之成败得失；一个人在职场上的言谈举止，关系到他的升迁去留；即便是在人们的日常生活中，一个人的言谈技巧运用如何，也关系到此人处世为人之得体与否，甚至是此人的生死安危。在这样的时代背景下，《鬼谷子全书》融古通今，古为今用的现实意义显露无遗。

通读全书，古代政治、外交、军事中的诡秘术和投机术你都将一览无余。本书教你以纵横家的恢宏气势，百战群雄激辩的商海；给你以无上的信心，从容应对不利局势，消解尴尬局面；教你以缜密的逻辑，合理分析现实，积极应对人生；教你以广博的心胸，跳出俗世羁绊，喜迎拨云见日的光景。

捭阖第一

反应第二

内揵第三

抵巇第四

飞箝第五

忤合第六

揣篇第七

摩篇第八

权篇第九

谋篇第十

决篇第十一

符言第十二

本经阴符七术

持　枢

中　经

捭阖第一

经典再现

摘要

捭阖是《鬼谷子》的开篇之作。捭为开启，阖为闭藏。捭阖之术，也就是开合有道、张弛有度。在本篇中，鬼谷子认为："捭""阖"是一对极其重要的哲学概念。捭阖之术是世间万物运转的根本，也是纵横家游说的重要说术言略。作为《鬼谷子》的第一篇，捭阖有着举足轻重的作用，因此也成为战国的谋士们游说诸侯、安身立命的重要法则。

《鬼谷子》说："捭之者，开也、言也、阳也；阖之者，闭也、谋也、阴也。阴阳其和，终始其义。"捭阖包含阴阳，进退，开闭，柔刚，大小，高低，贱贵等多方面的含义，本篇关于捭阖之道的论述，有着辩证法的色彩，同时也讲究效果的艺术性。这种效果，主要靠捭阖来达到。

《鬼谷子》认为：捭阖之术是游说诸侯、操纵政治、为人处世的一个重要策略。捭阖之术是万物运行的关键。他还告诉人们：如何合理地驾驭语言，怎样掌握好说话的分寸和尺度，如何让人左右逢源、处变不惊。想同意对方，先反驳对方，使对方激动后暴露实情，从而使我方能抓住其有理的地方而赞同他，抓住他无理的地方而反对他；欲取先予，欲同先异，欲捭先阖；捭阖主要由口来完成，话说得好，捭阖艺术运用得好，就能兵不血刃。

原文

（一）

粤①若稽古，圣人②之在天地间也，为众生③之先，观阴阳之开阖以名命物④，知存亡之门户⑤。筹策万类之终始，达人心之理，见变化之朕[6]焉，而守司其门户。故圣人之在天下也，自古及今，其道一也[7]。变化无穷，各有所归[8]。或阴或阳，或柔或刚，或开或闭，或弛或张。是故圣人一守司其门户，审察其所先后[9]，度权[10]量能，校其伎巧[11]短长。

注释

①粤：句首语气助词，表庄重。若：顺，沿着。此指上溯。稽：考也，考察。意为按着一定的规律考察历史。

②圣人：《鬼谷子》中出现的“圣人”有两种含义，一种指古代的有所贡献、有所创见的大智大勇之人，一种指当代精于纵横权术的游说辩士，与儒家所说的“圣人”有别。此句中的“圣人”是指前一种含义。

③众生：万物生灵。此特指民众。先：先知先觉，能够预测事物发展动向，掌握事物发展规律的人。

④命物：所谓“阳开以生物，阴阖以成物。生成既著，须立名以命之也”，即抓住事物本质，表述事物的名称和性质。

⑤存亡之门户：指世上万事万物生成、发展灭亡的关键所在。

⑥朕：征兆，迹象。即可以观测到的事物发展的征兆。

⑦其道一也：即言自古至今，圣人的做法、目的都是一样的。

⑧各有所归：“变化无穷，然有条而不紊，故曰各有所归。”即言事物的发展变化都有一定规律可以遵循。

⑨先后：此指事物的发展过程。

⑩权：权变。此指事物可以变化、可让人施术变动其发展方向的成分。能：能力。此指事物保持自己的不变性、从而按自己的固定轨迹运行的能力。

⑪伎巧：即技巧。伎，古通技，技巧，此指事物应变能力。

译文

我们看看上古时代的历史，可以知道古代那些大智大勇的圣者生活在人世间，之所以成为芸芸众生先知先觉的导师，是因为他们能观测世界上万事万物阴阳两类现象的变化，并能进一步了解事物存亡的关键因素，给它们立一个确定的名号，还能够洞晓万事万物的生成、发展、灭亡的关键所在。他们追溯世界上万事万物的历史过程，预测它们未来的结局，洞察世人的心理特征，观察世上事物、人事变化的征兆，从而把握事物发展变化的关键。所以，从古至今，处在天地间的圣智之人在社会上立身处世，遵循的规律都是一样的。由此可见，世间的事物虽然变化无穷、纷纭万端，但它们都有各自的变化规律：或以阴为主导，或以阳为主导；或以柔为特征，或以刚为特征；或以开放为特点，或以闭抑为特点；或松弛不固，或紧张难入。所以，圣智之人在处理世间事物时，总会发现事物的发展规律，把握住事物的关键，并考察事物的发展过程，研究事物的可变性和不变性，还要把握住事物应变能力的强弱，再比较技巧方面的长处和短处，有的放矢地处理问题。

【原文】

（二）

夫贤不肖、智愚、勇怯、仁义有差①，乃可捭，乃可阖，乃可进，乃可退，乃可贱，乃可贵，无为②以牧之。审定有无③与④其实虚，随其嗜欲以见⑤其志意。微⑥排其所言而捭反之，以求其实，贵得其指⑦。阖而捭之，以求其利。或开而示⑧之，或阖而闭⑨之。开而示之者，同其情也；阖而闭之者，异⑩其诚也。可与不可，审明其计谋，以原⑪其同异。

离合有守⑫，先从⑬其志。即欲捭之贵⑭周，即欲阖之贵密⑮。周密之贵微⑯，而与道⑰相追。捭之者，料⑱其情也；阖之者，结⑲其诚也。皆见其权衡轻重⑳，乃为之度数㉑，圣人因而为之虑。其不中权衡度数，圣人因而自为之虑㉒。故捭者，或捭而出之，或捭而内㉓之。阖者，或阖而取之，或阖而去之。

【注释】

①有差：有差别，各有不同。

②无为：指无为之道。《鬼谷子》所说的“无为之道”与老庄的清静无为之道不同，它是指顺应自然之性而拨动之、因势而利导之的一种处世之道。牧：治理，处理。以牧：用来掌握。

③有无：有无之数。此指世人的品质底细。

④与：因，依据，凭着。

⑤见：“见”通“现”，发现。

⑥微：暗中。排：排察。

⑦指：同“旨”，意指旨意，主旨。

⑧示：启示，启发。此指启发对方让他敞开思想。

⑨闭：闭藏。此指使对方控制感情。

⑩异：与“同其情”之“同”为互词。同其情，即考察对方感情上与我们的同异点。异其诚，即考察对方诚意如何。

⑪原：追源，考察。

⑫离合有守：认识有差距。离合，原指二人相离或相逢，此指认识差距。守，原指各据一方，此指有距离。

⑬从：同“纵”，纵容，放纵。从，纵古今字。

⑭贵：以……为贵，此处意为“首先要”“关键是”。

⑮密：与上句之“周”为互词，皆周密之意。

⑯微：微暗，不露声色。

⑰道：此指阴阳之道，即变动阴阳，因势利导而处理事物的方法。追：相随，相合。

⑱料：考察，估量。

⑲结：“谓系束。”系束，即控制、掌握之意。

⑳权衡轻重：此指处理事情的谋略与措施。权，秤锤。衡，秤。权衡可以称物，引申为处理事情的方法和措施。

㉑度数：度量，准则。

㉒自为之虑：此指自己另外谋划决策。

㉓内：接纳，吸收。内，纳古今字。

译文

世人中有贤良的人，有不肖的人；有聪明的人，有愚蠢的人；有的人勇敢，有的人怯懦；有仁人君子，有苟且小人……总之，每个人之间是有差别的，人们的品行千差万别，素质千模百样。所以，要针对不同的人品素质，采取不同的应对措施。对某些人可以开导，对某些人可以压抑使其保持冷静；对某些人可以擢用，对某些人可以黜退；可以让某些人富贵，可以使某些人贫贱。总之一句话，要顺应人们的不同天性去分别对待他们，加以控制掌握。要起用一个人，首先要摸清他的品质如何，摸清他的真假虚实，考察他是否有真才实学。要投其所好，通过他的嗜欲愿望，去分析他的志向意图，并且要暗中观察他的言语，适当地贬抑他说的话，再加以发言责难，从而探查到他内心的真实世界和真实意图，以明了他的性格主流。即对他使用捭阖之术，来达到我们的目的；当切实把握住对方言行的实质后，可以稍作沉默让对方畅所欲言，从而探求他的利益所在，有时可以表示赞同，有时应该缄默表示异议。敞开言论是为了博取对方的信任，从而让对方对我们一吐衷肠。缄默表示异议是为了考察对方的诚意。考察什么可用，什么不可用，要查明他的谋略计划的优劣以及同我们的谋略计划的差距大小。若同我们的谋略计划距离较大，先纵容他，让他照自己的意志去办，而我们要守住自己的意图。就是说，使用捭阖之术，离不开暗中谋划。当然，这种谋划要周密，考虑要周详。如果要综合归纳问题，最重要的是处世缜密，要合乎规律和道理，行事要微暗，要不露声色。这样做，就与阴阳之道暗合无隙了。对人使用捭阖之术，或开启引导他，估量出他的情怀；或压抑控制他，摸准他的诚心。还要知道他的谋略措施。掌握了这三件事，我们就可以区别对待了。如果他的品行可用，对我们真诚，并且没有二心，他的谋略措施得当，与我们距离较小，合乎我们的准则，我们就可以擢用他，帮他完善谋略措施；如果对方品行低劣，对我们不忠，而且谋略措施失当，与我们距离较大，不合我们的准则，我们便抛开他，自己另作谋划，重新决策。总之，对人使用捭阖之术时，或者开导他帮他完善决策，或启发他让他吐露决策以便被我们吸取；或抑制他以便于我们顺利起用他，或抑制他抛弃他不用。这就是捭阖之道。

原文

（三）

捭阖者，天地之道[1]。捭阖者，以变动阴阳，四时[2]开闭[3]，以化万物。纵横反出[4]，反覆反忤[5]，必由此矣。捭阖者，道之大化[6]，说之变也[7]，必豫[8]审其变化。吉凶[9]大命系焉。口者，心[10]之门户也。心者，神之主[11]也。志意、喜欲、思虑、智谋，此皆由门户出入[12]。故关[13]之以捭阖，制[14]之以出入。捭之者，开也，言也，阳也。阖之者，闭也，默也，阴也。阴阳其和[15]，终始其义。故言长生、安乐、富贵、尊荣、显名、爱好、财利、得意、喜欲，为阳，曰始[16]。故言死亡、忧患、贫贱、苦辱、弃损、亡利、失意、有害、刑戮、诛罚，为阴，曰终[17]。诸言法阳之类者，皆曰始，言善[18]以始其事。诸言法阴之类者，皆曰终，言恶[19]以终其谋。捭阖之道，以阴阳[20]试之。故与阳言者依崇高[21]，与阴言者依卑小[22]。

以下[23]求小，以高[24]求大。由此言之，无所不出[25]，无所不入[26]，无所不可。可以说人，可以说家[27]，可以说国[28]，可以说天下。

【注释】

①天地之道：即阴阳之道。天为阳，地为阴。

②四时：春夏秋冬四季。此指自然秩序。

③开闭：即捭阖。

④纵横反出：即阴阳的具体表现。纵与横，反（返）与出，都是对立的事物，可用阴阳来区分。

⑤反覆反忤：亦为阴阳的具体表现。

⑥道之大化：阴阳之道的关键所在。

⑦说之变：指游说中的某些变化。

⑧豫：预先。豫、预古通。

⑨吉凶：此指游说成功或失败。大命：此指游说目的。

⑩心：指内心思想。

⑪主：主使，主持。

⑫出入：此指表现、表述。

⑬关：此指控制。

⑭制：制约。

⑮阴阳其和，终始其义：终事始事的要义所在，是明了阴阳调和之理。

⑯故言长生……曰始：始为乾，乾为阳。始即初始，出发点，引申为人生行动的目的所在。即言上述长生、安乐、富贵等事物都是人生所追求的东西。

⑰故言死亡……曰终：终，穷也。穷急困窘，是人所不欲，是人生的忌讳。

⑱善：此指善言。善言为阳。

⑲恶：此指恶言。恶言为阴。

⑳阴阳：此指阴言和阳言。

㉑崇高：崇高之言，即上述阳言。

㉒卑小：卑下之言，即上述阴言。

㉓下：卑下的阴言。小：此指小人。

㉔高：崇高的阳言。大：此指君子。

㉕出：此指被策士、说客们启发。

㉖入：此指听从游说策士的话。

㉗家：原指大夫采邑。此指封有采邑的大夫。

㉘国：此指据有一国的诸侯。

【译文】

捭阖之术，是万物运行的一条普遍法则，是各种事物运动、发展、变化的规律。“捭阖”就是变动阴阳，干扰自然顺序，就是用开闭之法去促使万事万物变化转化；事物的离返和复归，都是由于开合的变化而引起的。纵和横，返和出，反和覆，反与忤，都是事物阴阳的具体表现，都可以用阴阳来区别、说明它们。反过来讲，使用捭阖之术使事物转化，正是阴阳之道的关键所在，是大道的外化。游说过程中的一变一化，都出自捭阖之术，所以要预先审知捭阖之术的阴阳法则，这是游说能否成功，游说目的能否达到的关键。人嘴，是表达内心思想的机关。内心思想，又是由人的神气来主使的。志向与意愿，喜好与欲求，思念和焦虑，智慧和谋略，都是由嘴这个机关表露出来的。所以，应该用捭阖之术来调控人嘴，应该用开闭之法来调整人嘴。使用捭术，就是让对方开口，让对方说话，开启、言谈，属于阳刚，这就是阳道。使用阖术，就是让对方闭口，让对方沉默，闭合、缄默，属于阴柔，这就是阴道。懂得了阴道和阳道的交替使用，就能够懂得“终”和“始”的意义了。我们把长生、安乐、富贵、尊荣、显名、爱好、财利、得意、喜欲等归为阳类事物，把它们称作人生向往。我们把死亡、忧患、贫贱、苦辱、弃损、亡利、失意、有害、刑戮、诛罚等归为阴类事物，把它们称作人生忌讳。言说的内容凡事属于“阳道”的一派，可以叫作“人生向往型语言”，是说可以用这类美好的语言去说动对方进行某事，以谈论积极的因素、振奋人心的方面来开始游说鼓动的主题。那些效仿、涉及上述阴类事物的说辞，可以叫作“人生忌讳型语言”，是说可以用这类令人厌恶的语言和消极不利的因素去威胁对方中止他的阴谋。游说中运用捭阖之术时，关于开放和封闭的规律都要从阴阳两方面来试验，把握住对方的内心，以确定对方是喜欢阴言还是喜欢阳言。与处于阳势、内心积极的人论谈时以使用涉及上述阳类事物的崇高语言为主，从大处入手选择大道理来引导对方；与喜欢阴言的人论谈时以使用涉及上述阴类事物的卑下语言为主，从小处入手，用琐细卑微的内容，用具体细小的事例来引导对方。这样，我们用卑下的阴言去打动小人，用崇高的阳言去说服君子。因此可以说，用捭阖之术去游说，就没有探测不到的真情，就没有不听从我们决策的人，就没有不能说服的人。用捭阖之术去游说，可以说动每个人，可以说动每个有封地的大夫，可以说动每个诸侯国的君主，可以说动天下的霸主。

原文

（四）

为小无[①]内，为大无外[②]。益损、去就、倍反，皆以阴阳御其事[③]。阳动而行，阴止而藏。阳动而出，阴随而入。阳还[④]终始，阴极反阳。以阳动者，德[⑤]相生也。以阴静者，形[⑥]相成也。以阳求[⑦]阴，苞[⑧]以德也。以阴结[⑨]阳，施以力[⑩]也。阴阳相求[⑪]，由捭阖也。此天地阴阳之道，而说人之法也。为万事之先[⑫]，是谓圆方[⑬]之门户。

注释

①无：通“毋”，不要。

②为小……无外：这两句表现了《鬼谷子》处理事情时的辩证思想。

③益损……御其事：所谓“以道相成曰益，以事相贼曰损，义乖曰去，志同曰就，去而遂绝曰倍，去而复来曰反。凡此不出阴阳之情，故曰皆以阴阳御其事。”

④还：还返，再生。

⑤德：内在本质，自身规律。

⑥形：外在形态。

⑦求：寻求，达到。

⑧苞：包容，规范。

⑨结：连接，引申为辅加、辅助。

⑩施以力：施以外力，由外去影响内。

⑪相求：互相需求，相互辅助。

⑫先：此指既定法则。

⑬圆方：此指世上的有形事物和无形事件。圆，以喻无形。方，以喻有形。

译文

任何事情无论小至极点，还是大致无穷，捭阖之术都可以应用。从小处入手处理问题时，不要光盯着事情的内部，要进入无限微妙的境界；从大处着眼处理问题时，不要仅仅注意事情的外部，还要有辩证观点和全局眼光，进入无限广大的境界。事情的损害和补益，人的离去和接近，道的背离和归属等等行为，都是在阴阳的变化中运行的。阳道以动为特征，故以进取为主要表现形式；阴道以静止为特征，故以闭藏为主要表现形式。阳动必然显现，阴止必然潜藏。阳道超过了极限就成为阴道，阴道超过了极限就变为阳道。用阳道去拨动事物，是为了让它按自身规律发展；用阴道去安定事物，是为了让它巩固自己的形态。用阳道去统括阴道，就要用内部规律去规范外在形态；用阴道去辅佐阳道，就要用外在形态去影响内在本质。阴阳相辅相成，互为其用，集中体现在捭阖之术上。这就是天地自然界以及人世社会中的阴阳之道，这就是游说人主的根本原则。捭阖阴阳之道，是万事万物的既定法则，是一切有形之物和无形之事的关键，是天地间解决万事万物的钥匙。

【为人处世】

三思而行——别让愤怒之火毁了自己

一个不会愤怒的人是庸人，一个只会愤怒的人是蠢人，一个能够控制自己情绪，做到尽量不发怒的人是聪明人。这样的聪明人懂得“捭阖”之道，是在关键时刻能够不断改变自己，调整自我状态的人。而蠢人则会在关键时刻暴露自己的弱点，给别人留下进攻的机会。

1809年1月，拿破仑从西班牙战事中抽出身来匆忙赶回巴黎。他的下属告诉他外交大臣塔里兰密谋造反。一抵达巴黎，他就立刻召集所有大臣开会。他坐立不安，含沙射影地点明塔里兰的密谋，但塔里兰没有丝毫反应，这时候，他无法控制自己的情绪，忽然逼近塔里兰说：“有些大臣希望我死掉！”但塔里兰依然不动声色，只是满脸疑惑地看着他。拿破仑终于忍无可忍了，他对着塔里兰粗鲁地喊道：“我赏赐你无数的财富，给你最高的荣誉，而你竟然如此伤害我，你这个忘恩负义的东西，你什么都不是，只不过是穿着丝袜的一只狗。”说完他转身离去了。其他大臣面面相觑，他们从来没有见过拿破仑如此失态。塔里兰依然一副泰然自若的样子，他慢慢地站起来，转过身对其他大臣说："真遗憾，各位绅士，如此伟大的人物竟然这样没礼貌。"

拿破仑的失态和塔里兰的镇静自若迅速在人们中间传播开来，拿破仑的威望降低了。伟大的皇帝在压力下失去理智，人们甚至感到他已经走下坡路了，如同塔里兰事后预言："这是结束的开端。"塔里兰激起了拿破仑的怒气，让他的情绪失控，这正是他的目的。人人都知道拿破仑是一个容易发怒的人，他已经失去了作为领导的权威，这影响了人民对他的支持。

拿破仑当然不是蠢人，但在这件事上他实在不够聪明。他没能控制好自己的情绪，让塔里兰抓住了自己的弱点。而塔里兰则是很好地运用了"捭阖"之道，面对拿破仑的指责，他假装糊涂，是"阖"。在拿破仑气急败坏而离去时，则把拿破仑的弱点公之于众，是"捭"。

然而，在这种情况下，拿破仑如果采用不同的做法，结果会大不一样。要是他首先能够思考一下，他们为什么会反对自己？再私下探听，从手下那里了解自己的缺陷，就可以试着争取他们回心转意支持自己，甚至干脆除掉他们，将他们下狱或处死，杀一儆百。所有这些策略中，最不应该的就是激烈的攻击和孩子气的愤怒。愤怒起不到威吓效果，只会暴露出自己的弱点，这种狂风暴雨式的爆发，往往是崩溃的前奏。

一个人的弱点总是在发脾气的过程中暴露出来，这是不懂得"阖"，不懂得隐藏，它往往成为崩溃的前兆。谋略和战斗力也会在愤怒的情绪中消散，因为你暴露了自己的弱点，自己的优势自然降低。所以，保持冷静至关重要。

保持冷静就是要懂得"捭阖"，该捭则捭，该阖则阖。愤怒容易让人失去理智，他们把一点儿小事看得像天一样大，过于认真让他们夸大了自身受到的伤害。他们以为愤怒可以让自己在别人眼中更具有权力，其实不是这样的。他们不仅不会被认为拥有权力，反而会暴露更多的缺点，会被认为缺乏理智，难成大气候。怒气还会让你失去别人对你的敬意，他们会认为你缺乏自制力而更加轻视你。

抑制自己的愤怒并不能从根本上解决问题，你的能量会在这一过程中消耗殆尽，你的心理也会严重受挫。要想解决这一问题，最好的办法就是时刻保持冷静和宽容，适时闭藏。面对别人的愤怒不要多想，更不要被他们的愤怒感染，学会隐忍，降低姿态，就能让自己的心情轻松一些。

在东汉末年一场重要的战役期间，曹操的谋士发现有几位将领通敌，于是建议把他们处决。但曹操什么也没做，他知道，在战争的关键时刻处决这些将领只能扰乱军心，对自己不利，因此他闭口不谈。与拿破仑相比，曹操冷静多了。

职场中，面对别人的情绪圈套，你应该保持头脑冷静，适时“捭阖”，这样才能够在权力的争夺战中取得主动权。如果愤怒的情绪已经产生，就应该学会控制和压抑，“守司其门户”，运用“捭阖术”，分析形势，找到恰当的时机解决问题。

【管理谋略】

虚虚实实——郑国不确定的迷局

春秋时期，楚国的令尹（宰相）公子元，在他哥哥楚文王死了之后，非常想占有漂亮的嫂子文夫人。他用各种方法去讨好，文夫人却无动于衷。于是他想建立功业，显显自己的能耐，以此讨得文夫人的欢心。

公元前666年，公子元亲率兵车六百乘，浩浩荡荡攻打郑国。楚国大军一路连下几城，直逼郑国国都。郑国国力较弱，都城内更是兵力空虚，无法抵挡楚军的进犯。

郑国危在旦夕，群臣慌乱，有的主张纳款请和，有的主张拼死一战，有的主张固守待援。这几种主张都难解国之危难。上卿叔詹说：“请和与决战都非上策。固守待援，倒是可取的方案。郑国和齐国订有盟约，而今有难，齐国会出兵相助。只是空谈固守，恐怕也难守住。公子元伐郑，实际上是想邀功图名讨好文夫人。他一定急于求成，又特别害怕失败。我有一计，可退楚军。”郑国按叔詹的计策，在城内作了安排，命令士兵全部埋伏起来，不让敌人看见一兵一卒，令店铺照常开门，百姓往来如常，不准露一丝慌乱之色，大开城门，放下吊桥，摆出完全不设防的样子。楚军先锋到达郑国都城城下，见此情景，心里起了怀疑：莫非城中有了埋伏，诱我中计？不敢妄动，等待公子元。公子元赶到城下，也觉得好生奇怪。他率众将到城外高地眺望，见城中确实空虚，但又隐隐约约看到了郑国的旌旗甲士。公子元认为其中有诈，不可贸然进攻，先进城探听虚实，于是按兵不动。

在郑楚两国的这场战争中，郑国叔詹的计谋之所以会奏效，是因为他很清楚公子元发兵的目的只不过是为了讨得美人欢心，争得一时的面子，这完全是出于一种逞能和虚荣的心理，并不是真的要一举歼灭郑国，所以他才建议采取这样的策略：“固守待援”同时以“空城计”迷惑敌人，一方面可以“固守待援”之盟军对公子元造成潜在威胁；另一方面利用一种不确定性让对方不敢轻易发兵。一举两得，实在是高明之策。

这时，齐国接到郑国的求援信，已联合鲁宋两国发兵救郑。公子元闻报，知道三国兵到，楚军定不能胜，好在也打了几个胜仗，还是赶快撤退为妙。这样至少可以保住自己既有的面子，否则硬打下去，可能会吃败仗，闹不好性命不保，那真是太不值得了，所以他下令全军即刻撤退。但是他害怕撤退时郑国军队会出城追击，于是让全军连夜撤走，人衔枚，马裹蹄，不出一点儿声响，所有营寨都不拆走，旌旗照旧飘扬。

第二天清晨，叔詹登城一望，说道：“楚军已经撤走。”众人见敌营旌旗招展，不信已经撤军。叔詹说：“如果营中有人，怎会有那样多的飞鸟盘旋上下呢？他也用空城计欺骗了我们，急忙撤兵了。”

郑国的空城计就是历史上最早的空城计。空城计的本义是“虚

者虚之，疑中生疑”意思就是说空虚的就让它空虚，让人在疑惑中更加产生疑惑。事实上，空城计是一种典型的心理战术。在己方无力守城的情况下，故意向敌人暴露我城内空虚，就是所谓“虚者虚之”。敌方产生怀疑，更会犹豫不前，就是所谓“疑中生疑”。敌人怕城内有埋伏，怕陷进埋伏圈内。但这是悬而又悬的“险策”。使用此计的关键，是要清楚地了解并掌握敌方将帅的心理状况和性格特征。

郑国明白了公子元的真实意图，利用公子元害怕失败的心理，巧布疑云，让对方在疑惑中不知道真假，一头雾水，从心理上抢占先机，把握住了胜利的关键。

正所谓“审定有无，与其虚实，随其嗜欲以见其志意。”摸清虚实和真假，探明真情实意，就掌握了“捭阖”之术的精髓。世界不是透明的，对人而言，永远都存在着许多的不确定之处。正是这种难以避免的不确定性，让人们心感迷茫和疑惑，从而影响到自己的策略和行为，这是人性本身趋利避害的本能反应，也恰恰证明了空城计的绝妙之处。

【商战博弈】

周密贵微——许荣茂的成功哲学

20 世纪 70 年代，在中国香港车水马龙的街头，一个来自福建的青年有时会驻足良久。他看着来来往往的人群和不时擦身而过的老爷车，有时也会对自己的未来陷入短暂的迷茫，只是这迷茫并没激起他内心多大波澜，他的表情依旧平和，看不出丁点儿痛苦的模样。

当时，像他一样在香港寻觅机会的青年千千万万，但绝大多数都消失了踪影，唯有他在若干年后绝地而起。这个原本平凡的年轻人没有什么秘诀，只是因为平和，这大概和他自小受从医父母的影响有关。

“中医讲究平和，不会为一些小事急躁。我觉得有一些人很聪明，但暴躁起来不考虑后果，这是做事业的大忌。”

说这句话的人是许荣茂，就是许多年前站在香港街头驻足观望，却表情如初的年轻人。或许正是这种心态，让他挺过了最初的难关。即使当时满大街都是电影大王邵逸夫的海报，他也没有觉得落差有多大。

什么事都是一个过程，就是在那时，许荣茂渐渐培养自己绵里藏针、不温不火的秉性。而真正让他在后来的房地产业翻云覆雨，神龙见首不见尾的，还是他敏锐的商业眼光和诡异的思维。

1989 年，当几乎无人看好内地房地产业时，许荣茂却出巨资在家乡进行了一系列项目开发，专心做房地产。对此次商业行为，他做出的解释是自己并非贪图这一行业的暴利，而是出于对事业成就感的渴望。回家乡投资房地产之前，许荣茂做的是服装生意，但他直言做服装太累：员工多，业务量大，利润微薄，更关键的是，他只能给外国厂商做代工，没有自己的品牌，缺乏成就感。但房地产不同，“我们建设一幢幢雄伟壮丽的大厦，既能美化城市改善人们的生活，又能给自己带来事业成功的欣慰”。

认准了房地产，许荣茂就坚定地改行，这一改，就是 20 年。

在房地产这个井喷式行业，速度就是一切。几乎所有的开发商都争先恐后地拿地，风风火火地建设施工。许荣茂则有些不同，他擅长的是悄然布局，有神龙见首不见尾的意味。通常是，在人们普遍不看好的时候，许荣茂不知不觉间出现，一出手，又是令所有人惊呼赞叹的大交易。

他一向深居简出，几乎从来不接受媒体采访。无论身在何处，头发都梳得纹丝不乱，说话慢条斯理。而知道他故事的人都明白，眼前这个地产大佬沉稳内敛的形象背后，是掩藏多年的江湖沉浮史，是无数生死搏杀的积淀。而他从来不夸耀、不表露。

许多人说，在房地产界，许荣茂跟潘石屹、冯仑等人不同，许的崛起，更多的则是凭借自己严谨的思维和独特的眼光。

就在众人觉得许荣茂会大干一场的时候，他又出人意料地转战上海滩。此前，没有人知道他的真正意图是什么，他就像机警地猎豹一样，不断寻觅着潜在的目标。

当时，A 股市场传来消息，上海万象集团亏损，股票一落千丈。许荣茂一反常态地进行资本运作，购入万象 26.43% 的股份，在 A 股借壳上市。他的这一举动令很多人咋舌。更令人想不到的是，刚刚入主万象的许荣茂竟将恒源祥等几个优势资源抽离。难道他收购万象股票的目的不在于此？

没过多久，许荣茂终于亮出了自己的答案。入主万象，实际上是看重了万象广场所在南京路的一块 14 万平方米的地段，这是上海最繁华的地区之一，许荣茂的手段不可谓不老谋深算。

几番动作过后，低调的福建商人已经在上海地产界搞得风生水起。在他眼中，只要是他看中的，就会努力把握。“讷于言而敏于行”是他的作风，只是许荣茂的“行”显得过于神秘和难以揣测，这可能就是他不断成功的原因。

许荣茂曾经对自己的人生进行过归纳，他说：“人生就像一个舞台。一旦自己能扮演一个比较重要的角色，就应该认真把握。我这个人只要看到一个机会，都想尽量去抓住它。”

《鬼谷子》说：“即欲捭之贵周，即欲阖之贵密。周密之贵微，而与道相追。”使用捭阖之术，离不开谋划。当然，这种谋划要周密，考虑要周详。如果要综合归纳问题，最重要的是处世缜密，要合乎规律和道理，行事要不露声色。一个人想成大事，必须全方位的注意每一个角落，低调内敛，这是成大事的根本。

其实，每个人都是一个演员。不管最开始扮演穷人还是富人，生命中总有许多能改变命运的际遇，用严谨、犀利、独到的眼光去努力把握，生活和事业就会朝着自己希望的方向发展。只是，无论何时，都要秉持低调的性情，如许荣茂这般：低调、内敛、沉稳，绵里藏针，才能趋利避害，早日实现自己的夙愿。

【职场之道】

阴阳调和——办公室中遇强示弱，遇弱示强

人不太容易去改变自己条件的强或弱，但可以以示强或示弱的方式，为自己争取有利的位置。

“遇强则示弱”，是说如果你碰到的是个有实力的强者，而且他的实力明显高过你，那么你不必为了面子或意气而与他争强，因为一旦硬碰硬，固然也有可能摧折对方，但毁了自己的可能性也很高，因此不妨把自己的形象弱化，好化解对方的戒心。以强欺弱，胜利了也不光彩，大部分的强者是不做的。但也有一些富侵略性格的“强者”有欺负“弱者”的习惯，因此示弱也有让对方摸不清你虚实，降低对方攻击有效性的作用。

一旦他攻击失效，他便有可能收手，而你便获得了时间以反转态势，他再也不敢随便动你。至于要不要反击，你要慎重考虑，因为反击时你也会有损伤，其中利害要加以评估，生存才是主要目的。

“遇弱则示强”是说如果你碰到的是实力较你弱的对手，那么就要显露你比他“强”的一面，这并不是为了让他来顺从你，或满足自己的虚荣心或优越感，而是因为弱者普遍有一种心态，不甘愿一直做弱者，因此他会在周围寻找对手，证明自己也是一个“强者”，你若在弱者面前也示弱，弱者就会把你当作对手，而且可给自己增添不必要的麻烦。“示强”则可使弱者望而生畏，知难而退，所以，这里的“示强”是防卫性的，而不是侵略性的，假如变成侵略性的也必为你带来损失，若判断错误，碰上一个“遇强示弱”的对手，那不是适得其反吗?

要知道办公室里没有绝对的强与弱，只有相对的强与弱，也没有永远的强与弱，只有一时的强与弱。因此强者与弱者，最好维持

一种平衡、均势，国与国之间不易做到此点，而人与人之间却不难做到，只要你愿意，也不论你是弱者或强者，“遇强示弱，遇弱示强”只是其中一个权宜之计。

在办公室中，当你和你的对手在无形的空间中互相敌视对方，甚至都有无形的愤怒闪现的时候，以硬碰硬，直来直往，并不是什么好办法，也不会帮助你什么，你应该采取一定的策略。

如果你遇上了强硬的对手，要视情况而采取更强硬的态度，战胜对手；如果遇上了软弱的对手，也不要盛气凌人，应温文尔雅、平心静气，使对方乐于接受你的意见。

交谈中造成一方软弱的原因有多种：或因弱小无力；或因地位低微；或因其秉性懦弱、缺乏意志等等。和这种软弱的对手交流时，如果采用强硬态度，对方就会避而不谈，你便无法达到目的。另外，你的优越感及言辞上轻微的傲慢，都有可能刺激到对方的自尊心，使对方产生不安乃至抗拒的心理。结果增加了取得一致意见的难度。相反，如果采用温和的态度，故意和对方扯平地位，主动、诚恳地体谅对方的苦衷，设法和对方培养起相当的感情。这时，对方不但不会对你产生戒备之心，问题更能迎刃而解。

强和弱跟《鬼谷子》说的阴和阳是一个道理。“益损、去就、倍反，皆以阴阳御其事。阳动而行，阴止而藏。阳动而出，阴隐而入。”就是说要运用阴阳的变化来实行损害和补益，离去和接近，背叛和归附。阳则前进，阴则隐蔽。该阳则阳，该阴则阴。阴阳结合，适时捭阖，定能无所不出，无所不入。

有一个古代传说，讲的是一种叫“泥鱼”的动物。每当天旱，池塘中的水逐渐干涸时，其他鱼类都因失去水而丧失了生命。但是，泥鱼依然悠闲自得，它找到一处足以容身的泥地，把整个身体钻进泥中不动，这就是它采取的“阖”的战术。由于它躲藏在泥中动也不动，处于一种类似休眠的状态。所以，可以待在泥中半年、一年之久而不死。

等到天下了雨，池塘中又积满了水，泥鱼便慢慢从泥中钻出来，重新活跃于池塘中。其他死去的鱼类尸体成了它最好的食物。它便能很快地繁殖，成为池塘的占有者和统治者。

职场上要使自己立于不败之地，也应该具备像泥鱼这样适应天道的能力。也就是适应外界情形的变化，适应不同对手的情况，“捭阖”有度，灵活地动用恰当的言辞来征服对方，赢得胜利。

反应第二

经典再现

摘要

《反应第二》是《鬼谷子》的第二篇。“反应”是一种回环反复的思考方式。反是反复试探，应是回应。反应是指投石问路以观回应，然后再行对策之术。因此，反应之术则更具有针对性，内容阐述也更加具体。

反应是有意识地刺探对方情况的谋略。“听其言，观其行”是反应术的基本技巧，说话、办事要听话外之音，察不言之言。鬼谷子认为：反应可以静听，可以反诘，也可以以己推人。若想知道别人的真实想法，通过某种言辞或行动，使对方开口讲话，先用语言试探，投石问路。然后从其言行中判断出他的真意；如有不清楚之处，再回过头来探求，反复求证，将对方引向自己的言说目的。

同时，鬼谷子还要求：运用反应术者，应全面、辩证、历史地看问题，并要善于把握讲话的技巧。在论辩、游说时，要“反之、复之”从而把握对方的真实意图。以致更好地掌控局势，从而达到自己的目的。

原文

（一）

古之大化[①]者，乃与无形[②]俱生。反以观往[③]，覆以验来[④]；反以知古，覆以知今；反以知彼，覆以知己。动静[⑤]虚实之理，不合于今，反古而求之。事有反而得覆者[⑥]，圣人之意也，不可不察。

注释

①大化：天地万物的造化。

②无形："道也。"此指自然界和人世社会的基本规律。

③往：历史。

④来：未来之事。

⑤动静：代指世间的一切事件。虚实：代指世界上一切物质。

⑥事有反而得覆者：意指世上一切事理都可以反复推求。

译文

古代以大道教化众生的圣人，之所以能与无形共生共存，是自然界物化的规律。大道无处不在，一以贯之。我们可用大道去了解历史，从而获得历史的经验教训，以面对、解决当前所遇到的情况。用大道也可以去推求未来。我们可以用大道去了解世界上这类、那类等一切事物，观察旁人，不仅可以洞察了解对方，而且可以知道自己为人处世的得失，观人而观己，认识自我。如果人的言行举止、思想常常出现不合常理的反常现象，就能根据周围的情况以及以往的经验进行推究，才能把握它。世上万事万物的道理，在今天找不到比证的，都可以从历史中获取。大道一体，古今一致，任何事物都可以反复地比证考察，这就是圣人的本意，我们不可以不去仔细研究。

原文

（二）

人言者，动也；己默者，静也。因①其言，听其辞。言有不合者②，反③而求之，其应④必出。言有象⑤，事有比⑥，其有象比，以观其次⑦。象者象其事⑧，比者比其辞也。以无形⑨求有声。若钓语⑩合事，得人实也。其犹张罝⑪网而取兽也。多张其会而司之⑫。道⑬合其事，彼自出之，此钓人之网也。常持其网驱之。

注释

①因：循，顺着。

②不合：前后矛盾。

③反：反问，反诘。

④应：应声。出：露出（真情）。

⑤象：形象。此指言辞中涉及的事物形象。

⑥比：并列，类比。此指同类事物。

⑦次：后，后边。此指言辞背后隐藏的意图。

⑧此句与下句，疑后人注文误入正文者。

⑨无形：即上边所说的静，“……已默”。

⑩钓语：在交谈时引诱出对方的话头。

⑪罝：即捕兔子的网。

⑫多张其会而司之：会指兽常出没的地方。司，即伺。

⑬道：此指我们发出的反诘辞。

【译文】

就动静原理而论，别人在侃侃而谈，是处于动态的；我们静默听辞，是处于静态的。别人动我们静，别人说我们听，正是以静制动。根据别人说的话就可以了解他言辞中所包含的主张和心意。若发现了他言辞中前后矛盾或不合情理的地方，马上反问他，使对方的矛盾谬误出现，从而逼使他在应声回答中再度思量，露出真情。只要我们静观静听，就可以体味出他言辞中包容的事物形象，就可以了解他谈的事物中涉及的其他同类事物，我们就可以通过这些事物形象和同类事物去考察它们背后所隐藏的谈话者的意图。象，这里是指言辞中事物的外在形貌。比，这里是指言语可以用打比喻作修辞，从而可以借助逻辑修辞等“无形”的技巧方法来阐明具体的事理。我们就这样用静默去探求别人言辞中的隐含意图，就好像用饵钓鱼一样，用静默和反诘去钓别人的言辞，通过钓得的言辞去判断他的决策，以掌握对方真情。又像多张网等待猎兽那样，多设一些网在他们经常出没的地方来让它们自投罗网。多用反诘语言去多方试探，一旦试探对了路，钓语与对方的心事相符，对方心底的真实感受和思想就会自然流露出来，这就是网人真情的网啊！应常用这样的钓人方法去掌握别人。

原文

（三）

其言无比，乃为之变[①]。以象[②]动之，以报[③]其心，见其情，随而牧[④]之。己反往[⑤]，彼覆来，言有象比，因而定基[⑥]。重之袭[⑦]之，反之覆之，万事不失其辞。圣人所诱愚智，事皆不疑[⑧]。故善反听[⑨]者，乃变鬼神[⑩]以得其情。其变当[⑪]也，而牧之审也。牧之不审，得情不明，得情不明，定基不审。变象比，必有反辞[⑫]，以还听之。欲闻其声反默[⑬]，欲张反敛，欲高反下，欲取反与[⑭]。欲开情[⑮]者，象而比之，以牧其辞。同声相呼，实理同归[⑯]。或因此，或因彼，或以事上[⑰]，或以牧下[⑱]。此听真伪、知同异、得其情诈也。动作言默，与此出入。喜怒由此，以见其式[⑲]。皆以先定[⑳]为之法则。以反求覆，观其所托[㉑]，故用此者。己欲[㉒]平静，以听其辞，察其事，论万物，别雄雌。虽非其事，见微知类[㉓]。若探人而居其内[㉔]，量其能射[㉕]其意，符应[㉖]不失，如螣蛇之所指[㉗]，若羿之引矢[㉘]。

注释

①其言……为之变：如果对方若不接我们的话茬，不回答我们的反问时，就要改换办法。

②象：设象，我们做出某种表象。

③报：即应和。

④牧：即考察、察知。

⑤己反往，彼覆来：指我们设象，对方应和，这样反复多次。

⑥定基：此指掌握对方意向的主流。

⑦袭：重复。

⑧圣人……不疑：尹知章曰：“圣人诱愚则闭藏，以知其诚；诱智则拨动，以尽其情，咸得其实，故事皆不疑也。”（尹知章《鬼谷子注》）

⑨反听：指发出信息去引诱对方，从反馈回的信息中测得对方真情。

⑩变鬼神：鬼神善变。变鬼神，言多般变化。

⑪当：即上所言“道合其事”，手法的变换碰准了对方心意。

⑫反辞：反诘语。还听：即反听。按：这里讲的是一种揣情中的“反引法”。

⑬默：沉默。

⑭与：给予。按：这里讲的方法，表现了作者的辩证观点。

⑮开情：让对方吐露情怀。

⑯同声……同归：与对方心里产生共鸣，使他引我们为知己，从而吐露真实情况。

⑰事上：此指从谈话开始处考察对方意图。

⑱牧下：此指从谈话结尾处入手审察对方意图。

⑲式：样式。

⑳先定：既定准则。

㉑托：此指寄托在言辞中的真情。

㉒欲：要。

㉓虽非……知类：尹知章曰：“谓所言之事，虽非时要，然观此可以知微，故曰见微知类。”（尹知章《鬼谷子注》）

㉔内：内心。

㉕射：猜测。

㉖符应：某种事物产生和某种现象发生，必然引起另一种事物产生和另一种现象发生，古代称作符应。

㉗螣蛇之所指：螣蛇，传说中一种能兴云作雾的神蛇，六朝术士用青龙、白虎、朱雀、玄武、螣蛇、勾陈六神以占算，谓螣蛇所指，祸福不差。

㉘若羿之引矢：羿，是古代传说中的善射者。

译文

如果对方若不接我们的话茬，不回答我们的反问时，就要改换办法。我们做出某些表象用形象的手段去打动他，迎合他的心意，使他透露真情，我们随之掌握他的意图。通过设象、使对方应和这样多次反复，我们终于掌握住对方言辞中的事物表象和同类事物，就可以因此而抓住对方意向的主流。这样多次重复，双方你来我往不断地交谈下去，在说话中就有了比较和譬喻，因此就能确定说服对方的基本策略和基本观点了。继而反复地推敲琢磨、反复地试探、诘问、观察、重复验证以使表达的语言准确无误，任何事情都可以从对方言辞里侦知。圣智之士用这种方法去对付智者、愚者，任何真情都可以测得而无疑惑。所以，自古那些发挥主观能动性去主动探查对方的人，以及那些从反面听取别人的言论，变换着手法去侦探对方的情怀，从而刺探到对方的实情。他们随机应变得当，对对手的控制也很周密。如果控制不周

密，得到的情况不明了，心里的底数就不实。就不能明知对方的主导意图。这种情况下，我们就必须变换手法使对方言辞中的象、比信息改变，要会说反话，以便观察对方的反应。变换着言辞去反诘他，让他回答，然后收集反馈回的信息。

另外，还可使用“反引法”，就是说，我们想要听到对方讲话，自己反而用沉默来逗引他；想让对方张口讲，自己反而闭口不语；想让对方情绪高涨以夸夸其谈，自己反而低沉；想从对方那儿得到点什么，自己就先给予他点儿什么。

又可用“正引法”：想要让对方吐露情怀，就自己先设表象去引动他，设法让他讲话，让他对我们随声应和，引为知己而开情吐意。我们或者顺着他的这番话去探测他，或者顺着他的那番话去探测他；或者从他的话端顺势考察，或者从他的话尾逆推考察。

所有这些，都是辨别真话假话，分析性质同异，分辨真相假相的方法。对方的动作、言语、口气，都可以用这个方法去考察；对方的一喜一怒，都可以用这些方法去发掘原因。这些方法，都是探测别人的既定准则，是考察别人的依据。要在反复探求中，去观察对方言辞中寄托着的真情，就要用这些准则和依据。

总之，我们要平心静气地去听别人的言辞，去细心地考察其言辞中涉及的事件，去考辨其他一切事物，去辨别事物性质，分析事理，议论万物，辨别真伪。运用此法，即使从对方言辞中的次要事件里，也可通过其中的细微征兆，探索出其中隐含的真情实意。运用这些方法去探测别人就好像钻到他心中探测一样，可以准确地估计出他的能力，可以准确地猜测出他的本意。这种估计和猜测必然像“符应现象”那样不失其意，就好比是螣蛇所指祸福不差、后羿张弓射箭一样准确无误，必定能从对方言辞中探出真情实意。

原文

（四）

故知之始己，自知而后知人也。其相知[①]也，若比目之鱼[②]；其见[③]形也，若光之与影[④]。其察言也不失，若磁石之取针[⑤]，如舌之取燔骨[⑥]。其与人也微[⑦]，其见情也疾[⑧]，如阴与阳[⑨]，如圆与方[⑩]。未见形，圆[⑪]以道之；既见形，方[⑫]以事之。进退左右[⑬]，以是司之。己不先定，牧[14]人不正。事用不巧[15]，是谓忘情[16]失道；己先审[17]定以牧人，策[18]而无形容，莫见其门[19]，是谓天神[20]。

【注释】

①相知：此指了解别人。

②比目之鱼：古人谓比目鱼相并而行。

③见：出现。见、现古今字。

④光之与影：光一亮，影便出现。

⑤磁石之取针：即磁与铁相吸。起源于先秦。

⑥燔骨：烤烂的骨头肉。燔，烧，烤。

⑦微：微少。

⑧疾：迅速。

⑨阴与阳：阴与阳无处不在。

⑩圆与方：无规矩不能成圆方。

⑪圆：此指圆活的方法。

⑫方：此指一定的规矩。

⑬进退左右：代指我们的一切行动，所做的一切事情。

⑭牧：考察。

⑮事用不巧：指忘记了上边说的“圆以道之”。

⑯忘情：不合实际情况。失道：抓不住本质。

⑰审：此指审察别人的准则。

⑱策：决策，计划。

⑲门：门径，要害。

⑳天神：天神无形无容，难测难知。

【译文】

所以，了解别人的最好的方法是从了解自己开始，人是有共性的，了解了自己，就可以了解别人了。若能这样做，我们了解别人，就像比目鱼相并而行那样一丝不差；我们掌握别人的言辞，就像声音与回响那样随声而得；他自己现出形意，就像光和影子那样，光一亮影子就出现。用这种方法去探查别人的言辞，就会不失厘毫地掌握到他的真意，就像磁石吸铁针那样，又像舌头舔取烤熟的骨肉那样，轻易地一察即得。与人交谈时，自己首先掌握好分寸，察言观色又不显山露水，迅速敏捷地捕捉到对方的内心起伏，情感变化。若我们用此法去探查人，那么我们发出很少的信息量，对方马上就会很快地向我们敞开情怀。这种探查人的方法，就像阴与阳无处不在那样，无事、无人不可用，又像画圆画方要有规和矩那样有一定的规则。即当对方形迹未显时，我们要用圆通灵活的手法去引导他；当对方形迹已显时，我们又用直率陈言、坦承对待、开诚布公、方正处之。无论是向前，还是退后，无论是向左还是向右，达成何种目的，任何行动都可以用这种规则去掌握。这样，我们必须预先制定一些考察人的准则，审定自己是否有成见，我们就不能正确地去衡量他人。但是，我们在使用此法时又不可忘记了它那圆活的一面，否则就会不合实情，丧失真谛。总之，我们运用这种方法，按照预先制定的考察别人的准则去考察他的决策、计划，就会无形无容，让对方摸不透，抓不着，而觉得我们像天神那般难测难知。

【为人处世】

行事机巧——苏秦智激张仪

苏秦和张仪都是鬼谷子的学生，他们从鬼谷子那里学成后，便各自去游说诸侯，希望实现自己的远大抱负。

张仪先到楚国去，结果不仅没有游说成功，反而被楚相手下的人诬陷，说他偷了楚相的玉璧。他们把他捆起来痛打了一顿，然后驱逐出国。

张仪回到魏国后，妻子责怪他不该去游说，以致遭此侮辱。

他却伸出舌头问妻子自己的舌头是否还在，把妻子惹得笑了起来，告诉他舌头还在。张仪说："只要我的舌头还在，这就够了！"

张仪这段坎坷的经历，最为人称道的也就是他的这句话"舌在也，足矣"。其实，人生在世，很少一帆风顺的，关键是遇到困难和挫折之后，你是否还能保持最初的信心和勇气，张仪的表现就是一个很好的榜样。也正因为他的这种信心不失，才为将来的东山再起留下了希望的种子。

那时，苏秦经历一番磨难后已在赵国站稳了脚跟，正致力于联合纵向的六个诸侯国共同抗秦。为了实现这个目标，苏秦希望有一个合适的人到秦国去掌握大权。想来想去，他想到了自己的同学张仪。于是便派人到魏国去找到张仪，并叫这人怂恿张仪到赵国去求见苏秦、以便得到高升。

张仪正在家里闷闷不乐，听了来人的鼓吹后，心想也是：既然同窗好友已在赵国执掌大权，自己何不去拜访拜访？说不定可以有所作为呢？

于是张仪便到赵国去拜见苏秦。殊不知苏秦命令手下人既不引见，又不许放他走了，就这样拖了好些天才接见他。接见时，苏秦只让他坐在堂下，到吃饭时竟然赏给他仆人们吃的东西。张仪又羞又怒，正想发作，苏秦却先斥责他说："以你的才能，却让自己落得这样困辱。我难道不可以推荐你而使你富贵吗？只是你不值得让我推荐罢了！"说完便叫人赶张仪出去。

张仪完全没想到过去的同窗好友竟然如此翻脸不认人，恨得咬牙切齿，发誓要找一个强大的能够战胜赵国的国家去立住脚，然后来报这奇耻大辱。

这个最强大的国家当然就是秦国了。

张仪一离开苏秦，苏秦马上就找来一个心腹，对他说："张仪是当今天下难得的人才，就连我恐怕也不如他。我之所以羞辱他，是以此来激发他的心志，使他一怒之下到秦国去争取掌握大权，而不是沉溺于一些小的利益上。现在你赶快去设法接近他，与他一起到秦国去，尽全力支持他接近秦王，掌握秦国的大权。事成之后再告诉他我的用意，这样，他就会设法让秦国不做对我们赵国不利的事。"

苏秦又向赵王报告了自己的计谋，请赵王拨出许多金银财宝供暗中支持张仪使用。

苏秦派去的人与张仪同住在一个旅馆里，慢慢接近他，尽全力支持他，二人结拜为生死之交。张仪得到帮助，又竭尽自己的全力，终于得到秦惠王的信任，被拜为客卿，大权在握。这时，苏秦派去的人向他告辞回国，他坚决不许，说是正要报恩，岂可离去。苏秦派去的人这才向他说明原委，尤其说明了苏秦羞辱他的用意。张仪听后恍然大悟，不禁感叹说："唉！我已在苏君的计中却还一点儿也没察觉，我不如苏君是很明显的了啊！请你为我谢谢苏君。有苏君在，我怎么敢奢谈攻赵呢？有苏君在，我又凭什么去攻赵呢？"

人常说，"树怕剥皮，人怕激气"。激将法就是用言语或者行为等刺激手段，让人心生怒气，从而按照挑逗人的意愿行事。"激将"的对象最好是性情暴躁、自尊心极强之人，对于那些老于世故之人则不易奏效。

俗话说：一石激起千乘浪。苏秦激将请张仪的成功，首先是清楚张仪是自尊心极强、一心要建功立业之人。加之当时张仪之落魄的处境，与苏秦之得意相比较，苏秦的傲慢和羞辱最容易刺激到张仪敏感而强烈的自尊心，从而使他奋而离去，奋发图强，终于成就了一番伟业。作为鬼谷子的优秀的学生，苏秦把鬼谷子的"投石激浪"之术发挥得恰到好处。因为他的投石激浪，张仪怒火中烧，一气之下弃赵国而去。也正因此，张仪才有了后来的成就，成了战国首屈一指的辩士和说客。

【管理谋略】

欲取先与——康熙帝放长线钓大鱼

有时，"退一步是为了进两步"，处理问题既需要果断，也要善于忍耐，等待最适宜的时机。一代明君康熙除去鳌拜的故事，再次说明了进退潜规则的好处。

根据祖宗的惯例，康熙满 14 岁那年举行了亲政大典。可是亲政后的康熙帝，仍然没有实权，鳌拜继续大权独揽。皇帝与权臣之间的矛盾，终于在如何对待苏克萨哈的问题上公开化了。

苏克萨哈是顺治皇帝临终时指定的四位顾命大臣之一，一向为鳌拜所妒忌。在一次朝会上，鳌拜对康熙帝说："苏克萨哈心怀不轨，蓄意篡权，我已下令将他抓了起来。请皇上同意将苏克萨哈立即正法。"

此时康熙尽管对鳌拜的做法不满，可自知实力太差，远不是鳌拜的对手，所以只好忍痛。虽然表面上一个要杀，一个不准杀，谁也不肯让步，但是实际上还是鳌拜势力更大。鳌拜一气之下，袖子一扬，扬长而去。满朝文武，人人惶恐，没人敢吱声。鳌拜一回到家，马上传令绞杀苏克萨哈，同时诛杀了他的一家人。康熙听到苏克萨哈被处死的消息后，气得两眼冒火，决心除掉这个欺君擅权的鳌拜。但是，康熙心里清楚：鳌拜羽翼丰满，并且掌握着朝廷的军政大权，亲信党羽遍及朝廷内外；鳌拜本人也身高力大，武艺高强，平时行动总是戒备森严。康熙帝深知要除掉鳌拜绝非易事，弄不好，激起兵变，那么，他这皇帝的位子也就别想再坐了。

经过一夜的冥思苦想，康熙帝最后定下了除去鳌拜的计策。

第二天鳌拜上朝时，康熙帝不露声色，也不再提苏克萨哈的事情，仿佛根本就没有发生过昨天那场争执。

鳌拜心里却暗自得意：皇上到底是个小孩，你一厉害，他就软了下来了。他哪里知道，这是康熙帝高明的地方，先忍一步为的是最终的胜利。

没过几天，康熙帝给鳌拜晋爵位，又加封号，又给鳌拜的儿子加官晋爵，鳌拜心里美滋滋的。

康熙一面故作软弱无能，稳住鳌拜，一面挑选了十几个机灵的小太监，在宫内舞刀弄棒，练习角力摔跤。康熙帝自己也加入摔跤队伍与小太监们对阵取乐。消息传到宫外，大家认为只不过是小皇帝变着法子闹着玩罢了。鳌拜进宫奏事，见一伙小太监们练习摔跤，康熙在一旁忘情地呐喊、助威，也认为是小皇帝瞎折腾，闹着好玩。

小小年纪就能如此机智，沉默忍耐，康熙确实有过人之处。康熙这样才使得自己掌握了主动权，所以从表面上看，朝中大事一切照旧，鳌拜还是那样为所欲为，康熙对鳌拜还是那样信赖，鳌拜渐渐放松了戒备。练习拳棒和摔跤的小太监们，技艺逐渐纯熟。康熙见时机已到，决定向鳌拜下手。

一天，康熙派人通知鳌拜，说是有要事商量，请他立即进宫。鳌拜直奔宫中，康熙此时正和小太监们摔跤玩哩。鳌拜上前，正要与康熙打招呼，十几个小太监打打闹闹地挨近了鳌拜身边。说时迟，那时快，大家一拥而上，拉胳膊扯腿地将毫无防备的鳌拜翻倒在地。等鳌拜反应过来，感到大事不妙想要挣扎反抗时，十几个小太监已牢牢地将他制伏在地，哪里肯让他脱身。他们拿来准备好的绳索，将鳌拜捆了个结结实实。

康熙正言厉色地对躺在地上动弹不得的鳌拜说："你欺凌幼主，图谋不轨，飞扬跋扈，滥杀无辜。今日下场是你罪有应得。你鳌拜罪行累累，罄竹难书，待我查清你的罪行，一定严惩，绝不宽待。"

鳌拜自知难逃一死，紧紧闭着双眼，一句话也不说，只能像待宰的羔羊那样。

《鬼谷子》说："欲闻其声反默，欲张反敛，欲高反下，欲取反与。欲开情者，象而比之，以牧其辞。"我们想听别人讲话，就用沉默来逗引他，想让对方张口讲话，自己反而闭口不谈，想让对方情绪高涨而夸夸其谈，自己反而低沉。想从别人那得到什么，就先给予他点儿什么。这正像老子的"将欲歙之，必固张之；将欲弱之，必固强之；将欲废之，必固兴之；将欲夺之，必固与之。"老子这句话体现出卓越的辩证思想。为了捉住敌人，事先要放纵敌人。这是一种放长线钓大鱼的计谋。

这个历史故事给我们展示了进退规则中暗含的玄机。故事中的康熙皇帝少年时期便明白了进退潜规则，给我们的启示就更大了。退有时是为了更好地进，特别是当我们的力量还处在弱势的地位时，更应该多一些隐忍，等待机会成熟之时才大显身手，达到极佳的效果。

【商战博弈】

先退后进——托马斯“回马一枪”获大利

商业活动中经常会碰到许多棘手的问题。有时在交谈中，会陷入一时的困境，如果能采取“以退为进”的战术，表面退缩，再找准机会给以有力的反击，或许就能获得更好的机会，赢得更大的发展空间。

这就像拉弓射箭一样，先把手往后拉，目的是为了让箭射出时更有力。以退为进是一种智谋，把进退看透的人，明白短暂的退让是前进的序曲，适当的退是为了更好的进。这与鬼谷子的“反应”不谋而合。

“反应术”主要是运用于处理人际关系和社会事务方面。从处理事务的步骤来看，善于“反应”，适时退却，是为了更好地进攻。现实中我们常会见到这样的事，双方争斗，各不相让，最后小事变为大事，大事转为祸事，这些往往导致问题不能解决，反而落得个两败俱伤的结果。其实，如果采取较为温和的处理方法，遇强而“让”，先退一步，使自己处于比较有利的地位，再因势利导，待机而“发”，便可以以退为进，成功达到自己的目的了。将反应术运用到商业中，往往会有达到意想不到的效果。

英国的皮鞋商托马斯有一次受印度尼西亚一位皮鞋制造商的委托，到巴黎去开辟市场。此前，他已经对有关情况进行了了解。他认为这种鞋质量上乘、款式别致，一定会受到法国消费者的欢迎，在巴黎市场上走俏。因此，他愉快地接受了任务。

一到巴黎，他就立即去见皮鞋销售商奥斯卡丽有限公司的总裁密特斯朗先生。他深知密特斯朗先生是个商场老手，城府极深。为了争取最大的利润，同时又不得罪密特斯朗先生，他决定采取装憨卖傻、先退后进的办法。

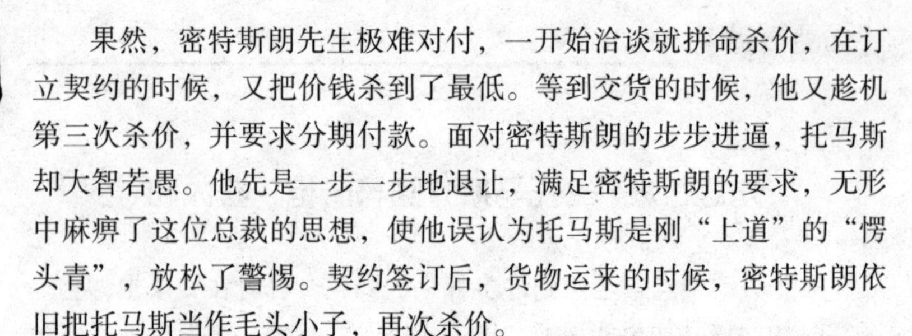

果然，密特斯朗先生极难对付，一开始洽谈就拼命杀价，在订立契约的时候，又把价钱杀到了最低。等到交货的时候，他又趁机第三次杀价，并要求分期付款。面对密特斯朗的步步进逼，托马斯却大智若愚。他先是一步一步地退让，满足密特斯朗的要求，无形中麻痹了这位总裁的思想，使他误认为托马斯是刚“上道”的“愣头青”，放松了警惕。契约签订后，货物运来的时候，密特斯朗依旧把托马斯当作毛头小子，再次杀价。

谁知托马斯一反常态，坚决地说了个“不”字，并提出按先前的契约规定，他有理由向密特斯朗索赔。这突如其来的进攻，令密特斯朗先生措手不及，一下就陷入被动局面。直到这时，密特斯朗才知道自己小看了这个小子，中了他的圈套，但此时已无力回天，密特斯朗不得不按托马斯的新报价接受了这批货物。由于这些皮鞋物美价廉，而且质量上乘，正如托马斯所料，很快就风行法国。加上托马斯的推波助澜，进一步在欧洲市场站稳了脚跟。托马斯这一战获得了巨大的回报，为自己的事业打下了坚实的基础。

托马斯面对狡猾的密特斯朗先生，没有正面跟他讨价还价，而是表现出甘受欺压的样子，避其锋芒。等到密特斯朗先生锋芒毕露，黔驴技穷时，突然出击，打败了对方。

在竞争中消灭所有的竞争对手，最大限度地占有市场，始终是商人的不懈追求，然而采用何种策略才能在保全自己的情况下击败对手呢？从托马斯的案例中，我们便能窥探出一些端倪——以退为进。处于劣势时采取消极防御即“阖”的策略，等到对手狂风暴雨过后，再全力进攻，给对方回马一枪，杀得他缴械投降为止。

善用反应术，以退为进，无疑是一条商业谈判的妙计。“退一步海阔天空”，富人们正是在这种原则的指导下，以退为进，到达财富的巅峰。

【职场之道】

见机行事——职场生存的保护伞

相同的事情，别人做得很顺利，到你做的时候一定不要照搬，因为可能事情已经发生变化了。

事物都是处在不断地变化和发展之中，如果凡事都照搬教条，而不知随机应变，具体情况具体分析，那就难免失策。形势瞬息万变，波谲云诡，所以必须从实际出发，相机行事，照搬教条只能使人自食恶果。在付诸实践时也应灵活机动，切忌僵化不变，形而上学。

有这样一个历史故事：战国时代，有施氏和孟氏两家邻居。施家有两个儿子，一个儿子学文，一个儿子学武。学文的儿子去游说鲁国的国君，阐明了以仁道治国的道理，鲁国国君重用了他。那个学武的儿子去了楚国，那时楚国正好与邻邦作战，楚王见他武艺高强，有勇有谋，就提升他为军官。施家因两个儿子显贵，满门荣耀。

施氏的邻居孟氏也有两个儿子长大成人了。这两个儿子也是一个学文，一个学武。孟氏看见施氏的两个儿子都成才，就向施氏讨教，施氏向他说明了两个儿子的经历。孟氏记在心里。孟氏回家以后，也向两个儿子传授机宜。于是，他那个学文的儿子就去了秦国，秦王当时正准备吞并各诸侯，对文道一点儿也听不进去，认为这是阻碍他的大业，就将这人砍掉了一只脚，逐出秦国。他学武的儿子到了赵国，赵国早已因为连年征战，民困国乏，厌烦了战争，这个儿子的尚武精神引起了赵王的厌烦，砍掉了他的一只胳膊，也逐出了赵国。

孟氏之子与邻居的儿子条件一样，却形成两种结果，这是为什么呢？

施氏后来听说了之后，说道："大凡能把握时机的就能昌盛，而断送时机的就会灭亡。你的儿子们跟我的儿子们学问一样，但建立的功业大不相同。原因是他们错过了时机，并非他们在方法上有何错误。况且天下的道理并非永远是对的，天下的事情也非永远是错的。以前所用，今天或许就会被抛弃；今天被抛弃的，也许以后还会派上用场，这种用与不用，并无绝对的客观标准。一个人必须能够见机行事，懂得权衡变化，因为处世并无固定法则，这些都取决于智慧。假如智慧不足，即使拥有孔丘那么渊博的学问，拥有姜尚那么精湛的战术，也难免会遭遇挫折。”而孟家父子正是不懂变化之道而遭此惨事的。

现实生活中，见机行事是一种自我选择和把握，但是缺乏正确的认识而盲目行动，也会得不偿失。

有一位刚毕业的大学生，刚开始的工作很不错，许多人都羡慕不已。但是这个年轻人总是不满现状，觉得自己应该在更好的位置发展，因此他常常跳槽。一开始，凭借自己的高文凭，受到了很多公司的青睐。哪里有招聘他就去哪里，只要看得上眼。他从来不曾审视自己的现状，对于跳槽乐此不疲。还以此骄傲不已。

可是到后来，他发现一个严重的问题。虽然自己在公司的待遇什么的都不错，但是晋升机会从来轮不到自己。而且很多公司连面试的机会都不给他。最后居然被辞退了。

这位年轻人怎么都想不通。后来他的经理把原因告诉了他。原来，用人单位一方面很在意学历，那是对寒窗苦读学子的肯定和鼓励。但是，一个四处跳槽的人，吃的全是自己的老本，而且没有工作责任感，企业对这样的人根本不会重用。

用变化的眼光看问题本没有错，但是还得分场合。如果缺少了正确的认识，就算很好的机会也会被自己弄丢。所以，一定要面对现实，求变化的同时更要审视自我，以发展为前提。只有发展变化的选择，才是制胜的关键。

内揵第三

经典再现

摘要

君臣素有“远而亲，近而疏”的奇妙关系，策士臣子们想要表达自己的思想谋略，就必须与君主拉近关系。鬼谷子的“内揵术”，不仅是取宠之法，更是制君之术。

《鬼谷子》说：“内者，进说辞也；揵者，揵所谋也。”“内”，即入内，又通“纳”，就是进谏游说之辞。“揵”，即纳谏，就是坚持谋略。“内”侧重于言辞技巧，“揵”则侧重于游说的效果。“内”与“揵”相辅相成，不可分离。

“内揵术”应遵循“得其情，乃制其事”的原则，策士游说君主，首先，要得到君主的欢心，策士游说君主的目的，是为了让君主听从自己的建议，从而解决君主的难题，以此实现自己的抱负。取信君主，鬼谷子认为，揣度君主的心意，出谋划策时应该顺应君主心意，投其所好，迎合君心，是游说成功的先决。

其次，策士们达到自己的目的后，进一步运用权术谋略去驾驭君主，代君主决策。鬼谷子还告诉我们，遇见可以凭依的君主，可以帮他整理朝政，治理民众，谋划那些合乎君主心意的决策；若遇到不可凭依的君主，就用权谋之术应付他，再设法离去。这样就可以避免变政治情况影响，进退自如。

原文

（一）

君臣上下之事，有远而亲，近而疏，就[①]之不用，去之反求。日进前而不御[②]，遥闻声而相思。事皆有内揵[③]，素结本始[④]。或结以道德，或结以党友[5]，或结以财货，或结以采色[6]。用其意[7]，欲入则入[8]，欲出则出[9]；欲亲则亲，欲疏则疏；欲就则就，欲去则去，欲求则求[10]，欲思则思[11]。若蚨母[12]之从其子也，出无间[13]，入无朕[14]，独往独来，莫之能止。内[15]者，进说辞；揵者，揵所谋也。

欲说者，务隐度[16]；计事者，务循顺[17]。阴虑[18]可否，明言[19]得失，以御其志[20]。方来应时[21]，以合其[22]谋。详思来揵[23]，往应时当[24]也。夫内[25]有不合者，不可施行也。乃揣切[26]时宜，从便所为[27]，以变求其[28]变。以求内[29]者，若管[30]取揵。言往者[31]，先顺辞[32]也；说来者[33]，以变言[34]也。善变者，审知地势[35]，乃通于天[36]；以化四时[37]，使鬼神[38]；合于阴阳，而牧人民[39]。见其谋事[40]，知其志意。事有不合[41]者，有所未知[42]也。合而不结[43]者，阳[44]亲而阴疏。事有不合者，圣人不为谋[45]也。

故远而亲者，有阴德[46]也；近而疏者，志不合也。就而不用者，策不得[47]也；去而反求者，事中来[48]也。日进前而不御者，施[49]不合也；遥闻声而相思者，合于谋[50]以待决事也。故曰："不见其类而为之者[51]，见逆；不得其情而说之者，见非。"

注释

①就：靠近，凑上去。

②御：指君主信用。

③内揵：此指内心联结。

④素结本始：即本始于素结，本源于平时的交结。

⑤党友：结党联友。

⑥采色：指容色，阿谀奉迎之态。

⑦用其意：指迎合君主心意。

⑧入：入政，参与政事。

⑨出：指出世，不参与政事。

⑩求：使动用法，使求，让君主诏求。

⑪思：使动用法，使思，让君主思念。

⑫蚨母：即青蚨。古代巫术以为青蚨之母与子的血可以相互吸引，用母血和子血涂在铜钱上，两铜钱也可以互相吸引。

⑬间：间隙。
⑭朕：形迹。
⑮内：即被君主接纳。
⑯隐度：暗中揣度。
⑰循顺：沿着，顺从。
⑱阴虑：暗中考虑。
⑲明言：公开讲。
⑳御其志：指迎合君主心意。
㉑方来应时：谓以道术来进，必应时宜，以合会君谋也。
㉒其：君主。
㉓来揵：前来进举的计谋。揵，举也。此指进献谋略。
㉔往应时当：既迎合君意又合形势。
㉕内：此指决策内的某部分。
㉖切：切摩，切磋。
㉗从便所为：指便利实施。
㉘其：指我们的决策。
㉙内：此处同“纳”。
㉚管：钥匙。揵：通键，锁。
㉛言往者：讲历史。
㉜顺辞：顺从君主心意的言辞。
㉝说来者：讨论未来。
㉞变言：有变通余地的话。
㉟地势：指地理形势。
㊱通于天：指明于天道。
㊲化四时：指改变自然顺序。
㊳使鬼神：掌握变化。神鬼善变。
㊴人民：疑当作“人心”，指君主心意。
㊵谋事：指处理事务。
㊶事有不合：决策不合君心。
㊷知：了解、掌握。
㊸结：两心相结。此指认可、执行我们的决策。
㊹阳：此指表面。阴：此指内心。
㊺谋：此指谋划、计划。
㊻德：通得，得君心。

㊼得：此指得君心。

㊽事中来：这种情况是由决策引起的。

㊾施：措施，此指解决问题的决策。

㊿合于谋：计谋相合。

(51)不见……为之：指不被君主宠信却代为决策。见逆：被排斥。

译文

君臣上下间之间的关系中，有的距离很远反而关系密切，有的距离很近却关系疏远；有的留在身边反而得不到起用，有的离开了反而被诏求；有的天天活动在君主面前却不得信用，有的被君主远远听到名声便朝思暮想。这些都表明了人与人之间的关系以及上下相交的事情是与内心相知的因素有关，本源于平素中的交结。凡是事物的内部都有交结，君臣交结，有的以道德交结，有的以党友交结，有的以财物交结，有的以容色交结。只要摸准了君主心意，善于迎合其意，想入政就能入政，想出世就能出世；想亲近君主就能亲近，想疏远就能疏远；想靠近君主就能靠近，想离开就离开；想让君主诏求就能得到诏求，想让君主思念就能让君主思念。就像青蚨母子之血涂钱可以相互招引一样，可以把君主吸引得无间无隙，就可以在宫廷中独往独来，没有谁能够阻止我们。这就是内揵。所谓“内”，就是利用说辞以取得君主的接纳、宠信；所谓“揵”，就是独擅为君主决策的大权。为达此目的，想去游说君主时就必须暗中揣度君主心意，事之可否，心之合否，时之便否；出谋划策时也必须顺应君主意愿。暗中考虑我们的决策是否符合时宜，公开讲清此决策的得失优劣，以迎合君心。就是说，我们的决策必须选择适当的时机，使计谋与对方的心意易于契合。必须让君主觉得我们进献的决策既合形势又合他意。否则，若其中有不合君意之处，这决策就难以付诸实践。若出现这种情况，就要重新揣摩形势需要，以便利君主实施为出发点，去改变决策。让君主接受经过这样变更后的决策，就像用钥匙开锁那样，极易打开对方的心锁。另外，要注意，同君主谈历史事件时，要用“烦辞”，即充分肯定君主所作所为；但讨论未来事件时，却要用“变言”，即讲些有变通余地的话。运用自如地改变决策的人，必须审知地理形势，明于天道，又有改变固有顺序、善于应变的能力，并能合于阴阳变化规律，从而再去考察君主心意，观察他需要处理的事务，掌握他的意愿志向。就是说，若我们的决策不合君意，那是因为君主的某种心意、某些情况我们还没有掌握起来；若表面上同意我们的决策但实际上并不施行，是因为君主表面上同我们亲近了但实际上却疏远得很；若决策不合君意，圣智之人也难以将决策付诸实践。由此而论，身远反而关系亲密，是因为能暗中迎合君主心意；身近反而关系疏远，是因为与君主意气不合；凑近前去得不到进用，是因为决策不得君心；离去的反被诏求，是因为智谋合乎君意；天天活动在君前却不被信用，是因为计谋、规划不合君心；被君主远远听到名声而朝思暮想，是因为计谋与君主暗合，君主等待他前来磋商大事。所以说，没有得到君主宠信就进献计策，必被斥退；不了解君主心意就去游说，必定不能实现目的。

原文

（二）

得其情，乃制其术[1]。此用[2]可出可入，可揵可开[3]。故圣人立事[4]，以此先知[5]而揵万物。由[6]夫道德、仁义、礼乐、忠信、计谋，先取《诗》[7]《书》，混说[8]损益，议论[9]去就。欲合者用内[10]，欲去者用外[11]，外内者必明道数[12]，揣策[13]来事，见疑决[14]之。策[15]而无失计，立功建德[16]。治名入产业[17]，曰：揵而内合[18]。上暗不治，下乱不寤[19]，揵而反之[20]。内自得而外不留[21]，说而飞[22]之。若命自来，己迎而御之[23]。若欲去之，因危[24]与之。环转因化[25]，莫知所为，退为大仪[26]。

注释

①术：此指君主决策。

②此用：“此用”即“用此”。

③开：此指与君主脱离关系，与“揵”相对而言。

④立事：谋事，决策。

⑤先知：先了解情况，先掌握信息。

⑥由：循顺。

⑦《诗》：《诗经》，当时称《诗三百》。《书》：《尚书》。

⑧混说：此指笼统地说。

⑨议论：此指内心盘算。

⑩内：指上边论述的向君主取宠的方法。

⑪外：指不向君主苟合取宠。

⑫道数：道理。

⑬策：通测。

⑭决：决策。

⑮策：此指对付君主的计策。

⑯建德：此指立基业。

⑰治名入产业：治名，代指整顿朝纲。入产业，代指治理民众。

⑱内合：与君意相合。

⑲上暗……不瘖：君主在位不理朝政、奸臣当道不治民众。

⑳揵而反之：指我们举荐的计谋必不合君心。

㉑内自得而外不留：自视甚高、听不进外人意见。

㉒飞：飞扬，赞扬。

㉓御之：指控制君主。

㉔危：读为诡。诡即诡计，权变之术。

㉕环转因化：指依据不同类型的君主、根据不同的政治情况变换我们的方法去应付。

㉖仪：法。秘诀。

【译文】

要掌握好君主的心意、决策等情况，从而推知对方的心意和主张，然后才能控制他的行动措施。只要了解情况，依据实际确定方法，去推行自己的主张，我们就可以入政、出世自由，就可以事君或离去随意了。所以，圣智之士谋事决策，都是凭着先掌握信息而控制万物，进而顺合道德、仁义、礼乐、忠信、计谋的种种规范。对于君主的决策，我们可以先取《诗经》《尚书》中的教诲为之论证，笼统地说些添添减减的修改意见，再综合利弊得失，同时在内心里衡量一下此决策与我方决策的差距大小，以决定离去还是留下。要想留下，就必须争取君主宠信，想要离去就不用管这个。无论取宠还是不取宠，都必须明晓取宠术和制君术，必须具备预测能力和决疑能力。只有我们在这些方面没有失误，我们才能成功地站住脚，从而建立功业和积累德政。若遇到可以凭依的明主，我们就帮他整顿朝政，治理民众，然后谋划些合君主心意的有成效的决策。这种叫作内部安宁，团结一致。若碰上君主在位不理朝政、奸臣当道不治民众的情况，我们谋划的决策就不可能适合当权者的口味。若遇到自视甚高、听不进外人意见的刚愎自用的暴君，那我们要先奉迎他，为他歌功颂德，博取他的欢心后再逐步说动他。在这种情况下，我们若被君主诏用，就先迎合他的心意而后设法逐步掌握他；若觉得某位君主不堪凭依而想离他而去时，就用权谋之术应付他再设法离去。要依据我们面临的政治情况来决定我们的策略，变换我们的手法，让外人摸不透，难知情，这就是保全自我、进退自如的大法则了。

【为人处世】

全身而退——毕再遇金蝉脱壳

在面对危机时，要谋取全身而退之道，而金蝉脱壳的计谋就是退而自保的最佳选择。在这个计谋中，设局一定要巧妙，一定要把假象造出逼真的效果，使敌人被假象迷惑，从而做出错误的判断，为自己顺利转移赢得充足的时间。

金蝉脱壳其本意是，寒蝉在蜕变时，本体脱离皮壳而走，只留下蝉蜕还挂在枝头。此计用于军事，是指通过伪装摆脱敌人，从而撤退或转移，以实现我方的战略目标的谋略。宋朝大将毕再遇就是用这一方法保存了自己的实力。

公元 1206 年五月，两淮大地阴雨连绵，在一片泥泞中，十万宋朝正规军在金军铁骑的追击中，如潮水般狼狈而逃。在这漫山遍野的大溃散中，唯有一支军队，军容严整，气势如虎，于惊涛骇浪中溯游而上，一杆大旗在血雨腥风中猎猎作响。旗上书“毕将军”三个大字，旗下将领短小精悍，披头散发，戴铁兜鍪、鬼面具，胯下黑色宝马神骏异常，麾下勇士无不以一当百，在战场上挥洒“虽千万人吾往矣”的英雄气概。这位勇冠三军的将领就是南宋名将毕再遇。

毕再遇的父亲毕进为岳飞部将。他以父荫入侍卫马军司，“以拳力闻”，曾经受到宋孝宗召见，被赐战袍。虎父无犬子，他也是南宋抗金名将，且在战场上足智多谋，经常布奇局，使奇计击退敌人。

宋朝开禧年间，金兵屡犯中原。毕再遇率兵与金军对垒，虽打了几次胜仗，但久战不决。金兵又调集数万精锐骑兵，要与宋军决战。而此时的宋军只有几千人马，如果与金军决战，必败无疑。毕再遇为了保存实力，准备暂时撤退。

那时金军已经兵临城下，如果知道宋军撤退，肯定会追击，那样，宋军损失一定惨重。毕再遇苦苦思索如何巧妙地转移部队。这时，只听帐外马蹄声响，毕再遇受到启发，计上心来，于是秘密安排起来。首先他传令军中，备下三天干粮，士兵们自带身上。营帐、旗帜一律不动。又传令手下找来几只活羊，将它们后腿吊起，前腿放在更鼓上，缚好。

夜深之后，毕再遇命令兵士们悄悄撤退，不许发出半点儿响动，不准点火。就这样，一队队宋军在夜幕的掩护下，向南悄然撤退。

此时，金兵主帅想要一举消灭毕再遇的军队，于是传令附近兵马速来增援。大军一到，准备稍事休整，便发起攻击。但他知道毕再遇很有智谋，必定会在形势不利的情况下寻路撤退。于是，派出多路哨兵，盯住宋营，一旦有宋军撤退的迹象，马上回报。

哨兵们接到命令，一个个都找好位置，向宋营窥探。只见那夜的宋军和以前一样，入夜后即灭灯入睡，旗帜依旧，并不时传来“咚咚”的更鼓声。原来，毕再遇退兵前，已让手下人放开羊前腿。羊被吊疼了，便四蹄挣扎，前腿蹬得更鼓“冬冬”直响。蹬一阵子，羊累了，便停下来。过一会儿，羊又开始挣扎，更鼓就又响起来。远远听了，就像有人在打更。

就这样，更鼓响了一夜，天明时金人远望宋营旗帜仍在，故而哨兵们也没人去报告。等到天色大亮时，金兵主帅传令手下，吃饱饭后全线攻击，务必一举歼灭宋军，活捉毕再遇。而后，他上了高坡，向宋营瞭望，以作具体部署。这时他才发现宋营了无声息，情况十分反常，金兵主帅忙令哨兵们贴近观察，才知道宋军已悄然撤走，只留下了一座空营。

毕再遇用“金蝉脱壳”之计，“悬羊击鼓”迷惑了敌军，在夜幕的掩护下安全转移了自己的部队。用兵之法常常是虚虚实实，兵无常势，变化无穷，因此在面对危机时，要谋取全身而退之道，而金蝉脱壳的计谋就是退而自保的最佳选择。在这个计谋中，设局一定要巧妙，一定要把假象造出逼真的效果，使敌人被假象迷惑，从而做出错误的判断，为自己顺利转移赢得充足的时间。

正如《鬼谷子》所说："若欲去之，因危与之。环转因化，莫知所为，退为大仪。"做什么事情都应该像圆环一样旋转自如。根据客观情况见机而行，使别人不易觉察到自己的行为。这就是保全自我，进退自如的大法则了。当然，使用这一计谋意在稳住对方，绝不是惊慌失措、消极逃跑，而是保留形式，抽走内容，稳住对方，使自己脱离险境，达到己方战略目标。己方常常可用巧妙分兵转移的机会出击另一部分敌人。

【管理谋略】

清净自守——赵德昭拒位

公元979年初，宋太宗御驾亲征北汉，北汉皇帝刘继元走投无路，只好投降。面对这巨大的胜利，宋太宗心花怒放，难以自持，他不顾兵疲财缺的现状，主张乘胜伐辽，收回被辽占据的燕云十六州。

宋朝大将潘美反对此议，他对宋太宗恳切地说："我军大胜，此刻也不能志得意满，轻敌冒进。眼下尚需稳定形势，巩固胜果，士卒也需休整。"

宋太宗不待出语，总侍卫崔翰却越众而出，大声说："此乃天赐良机，岂可轻易放弃呢？陛下进兵之举甚合民心，必群起响应。我军又是得胜之师，其势难当，当无坚不摧，伐辽必有胜算。"

宋太宗本求胜心切，又听崔翰这样讲，便不再犹豫了，宋军遂大举北进。宋军快到高粱河时，遭到辽军的伏击，损失惨重，宋太宗也不知去向。

当时，宋太祖赵匡胤的长子、武功郡王赵德昭也随宋太宗亲征。

他手下的将领猜测宋太宗不是被杀，就是被俘，于是私下商议立赵德昭为帝。众将讨论过后，齐聚赵德昭的帐中，为首者当面劝赵德昭说："皇上失踪，想必已经蒙难。如今军心不稳，大敌当前，大王如不当机立断，承继大统，恐怕变乱不止。恭请大王迅速登上帝位，号召天下。"

赵德昭面对众将拥立，一时心动。他努力使自己镇静下来，没有轻言可否。

想当初，宋太祖赵匡胤去世时，他没有把皇位传给自己的儿子赵德昭，却遵循母亲的遗命，让弟弟赵光义做了皇帝。这个事实曾让赵德昭心中郁闷，落落寡合。赵德昭的一位亲信劝他不可这样，这位亲信出口说："事已至此，大王纵有千般怨言，也无力回天了。大王现在的举动，皇上必定极为关注，皇上怎会容忍一个心怀不满的臣子呢？再说，大王当不上皇帝也未必就是坏事，只要大王参透荣辱，顺天应命，也不会感到做个逍遥亲王有什么不快。"

赵德昭不乏聪明，他一下领悟了亲信的真意，不觉为自己先前的失误暗自叫险。自此，他天天纵歌饮酒，对宋太宗又是极其恭敬，宋太宗对他并不怀疑，君臣相安无事，相处得十分融洽。

今日面对此变，赵德昭虽口里没有说什么，心里却是千回百转。他思忖这件事关系太大，万不可因贪求帝位而犯下致命之祸。他又想太宗虽是失踪，终究不能肯定他已蒙难，如果自己轻率即位，太宗又没死，太宗自是不能放过他了，如此自己连性命都将不保。

此时，让人蠢蠢欲动的"帝位"在赵德昭心中成了一块烫手的山芋，他越想越怕，他先前的窃喜之情一扫而光。他决定以静制动，慎重行事，于是他故作生气之状开口说："皇上生死未明，大敌在侧，你们不思报国杀敌，却在这儿胡言乱语，动摇军心，这是忠臣所为吗？我是皇上臣子，誓死效忠皇上，岂能受你们唆使，干下这大逆不道之事？你们真是昏了头了！"

众将本想赵德昭定然接受，自己也可有拥立之功，飞黄腾达，等到赵德昭出言训斥，他们都瞠目结舌，不知如何应对。他们虽自称有罪，但心中怅然若失，面有不快之色。

见此情形，赵德昭为了安抚众将，不令他们疏远自己，他又低声说："你们的好意我心领了，可荣辱之事，岂可盲动？再说赵氏江山谁做皇帝都是一样，我岂能趁皇上危难而行其私呢？倘若皇上真的遭遇不幸，为了宋室江山，我还是不会令各位失望的。"

众将气消，皆服其义。第二天早上，宋太宗竟被杨业父子救回，安然无恙，众将又深服赵德昭慎重之行了。

人生在世，无人不求名与利。但是，这名利的背后往往隐藏着巨大的祸端，尤其是至尊的皇位，是无人不梦寐以求之物。《内揵第三》云："外内者必明道数。揣策来事，见疑决之。策而无失计，立功建德，治名入产业，曰：揵而内合。"无论取宠还是不取宠，明晓取宠术和制君术，要具备预测能力和决疑能力。这样才能在政治上站稳脚，干出一番大事业。

在宋太宗失踪、生死未卜的情况下，赵德昭面对皇位的极大诱惑，怎么能不心动呢？但是，他也想到了这件事的玄妙，如果宋太宗真的是死了，他就可以顺水推舟，坐上九五之尊的龙椅；但是如果宋太宗活着回来呢，那么他的轻举妄动无异于引火自焚，这事情的关键就在于宋太宗现在的情况是生死未明，这一不确定性最终让赵德昭打消了铤而走险的念头，宁可安分守己，也比犯下篡位之大罪，人头落地来得好啊。所以，他的这种宠辱不惊的态度实在是一种最安稳的自保之策。

【商战博弈】

得情行事——信任是成功的前提

一个成功的商务谈判应当使双方都觉得自己的时间和精力没有白费，因此就这个意义来说，签订一项合同或协议，是标志谈判结束并取得某种成果的必不可少的内容。但是，东方人在做生意时却喜欢随机应变，不愿意签订内容详尽而有束缚力的协议或合同。

在东方商人看来，做生意不存在要什么协议。因为，他们认为，客观条件和外部环境乃至本身的许多具体情况随时都会发生变化，协议或合同也应根据这种变化适时做出修改。另一方面，在东方，很多生意都是靠彼此间的信任和善意来进行的。他们欣赏建立在真诚、亲善基础上的商业交往。在他们看来，如果缺乏这一基础，那么一切都无从谈起。

对东方商人而言，口头的承诺就是一种“合同”。虽然自从和西方接触以后，东方人采纳了西方的许多法律条文，在商业交往中，也越来越多地使用文字合同。但是，就本意来说，东方人并不喜欢合同，他们始终认为，如果没有互相的信任和坦诚，那么仅有一张合同是无济于事的。

由于东方人喜欢相信人而不相信契约，所以对与东方人进行生意往来的人来说，认识到这一点相当重要。

东方商人不喜欢就合同的条文进行讨价还价。他们重视的是弄清对方是否诚实可靠。如果能够获得东方商人的充分信任，那么对方将会感到，摆在他们面前的合同，理应是公平和平等的，所以不必过分拘泥于细节。东方商人对合同细节很少进行争论，在商业项目的谈判中，他们虽然有时也拖延时间，但他们并不是通过谈判合同的细节来保证双方都不会受任何意外事件的影响，他们是在获得一个相互信任的过程，信任一旦建立后，双方都要重视长期保持这一关系。

在东方商人的眼中，这种信任常常意味着对方会放弃那些可以从其他买主或供应商处获得的近期利润，愿意在对方遇到压力或暂时困难时灵活掌握合同条件，并且相互支持。合同上的字不等于刻在石头上的字那样难以更改，如果就详细的事项同对方达成了协议，那么在他们看来，关键是对协议如何理解，而不是合同上是如何规定的。合同不是“圣经”，只要需要，随时都可以进行修改。因此，在合同的结尾处，他们一般都有可做出修改的类似规定。

一般来说，东方人对待协议、合同的态度与他们对待法律和律

师的态度有直接关系。欧美人大多都有严格而较明确的法律观念，在进行商业谈判时，他们经常请律师参加或向他们进行咨询，以避免违反法律或给对方以可乘之机。在他们看来，商业谈判就是使用机敏的策略夺取胜利的过程，有了律师可以促使对方接受对自己有利的条款。但是，在东方商人看来，带律师参加商业谈判是一种不信任对方的不友好行为，所以他们在谈判中不请律师，即使在发生争端时也很少向他们进行咨询。

东方人并非不讲法律，在东方公司内，一般都有法律助理，他们虽然“没有执业证明”，但对涉及本公司的法律问题往往比“有证”律师更精通。

据统计，全东方的律师按人口比例计算，比许多西方国家少得多，其原因之一，就是东方人一般在发生争端时不轻易诉诸法律。

总之，东方商人重视建立在真诚、亲善基础上的信任、理解，并由此形成了默认的松散协议。这种协议可以给他们留有余地，以便根据形势和具体情况的需要，改变双边关系的性质。虽然这类协议并非全然没有约束力，但它的约束力在某种程度上取决于“相互理解”、友好亲善和双方间的坦诚相见。因此，与东方商人打交道，应该注重“心心相通”，而不是形式为主。

《内揵第三》说：“用其意，欲入则入，欲出则出。”就是说只要把握住了对方的心思，就能都取得主动，进退自如。所以，与东方商人合作，合同不是重点，建立信任关系才是最好的选择。

实际上，不仅是东方商人，在各种复杂多变的复杂多变的经济形势下，信任都被视为业务关系的基础。对于商人来说，协议与合同仅是一种形式，重要的是信任和理解，信任和理解胜于白纸黑字，甚至胜于法律。真正建立起了良好的信任关系，做到了“得其情”，便能“可入可出，可揵可开”，就能充分表明自己的观点，实现密切的合作，获得想要的结果。

【职场之道】

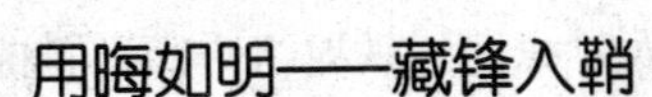

用晦如明——藏锋入鞘

在工作中，往往有许多人掌握不好热忱和刻意表现之间的界线。不少人总把一腔热忱的行为演绎得看上去是故意装出来的，这些人学会的是表现自己，而不是真正的热忱。真正的热忱绝不会让同事以为你是在刻意表现自己，也不会让同事产生反感。

在需要关心的时候关心同事，在工作上该出力的时候全力以赴，才是聪明的表现。而不失时机甚至抓住一切机会刻意表现出自己“关心别人”“是领导的好下属”“雄心勃勃”，则会让人觉得虚假而不愿与之接近。

有人说：“自我表现是人类天性中最主要的因素。”人类喜欢表现自己就像鸟类喜欢炫耀美丽羽毛一样正常。但刻意的过度自我表现就会使热忱变得虚伪，自然变得做作，最终的效果还不如不表现。

很多人在其谈话中不论是否以自己为主题，总有凸显自己的表现。这种人虽说可能被人高估为“具有辩才”，但是也可能被认为是“口无遮拦显得轻浮”，或经常想要“引人注目”等，暴露出其自我显示欲的否定面，常使别人产生排斥感和不快情绪。

据说丘吉尔虽然平日爱用夸张的词汇来自我表现，但是在关键时刻他却会用英语说：“我们应该在沙滩上奋战，应该在田野、街巷里奋战，应该在机场、山冈上奋战——我们，绝不感激投降。”请注意，他说的是“我们”，而非“我”。这才是真正正确的表现方式。后者给人以距离感，前者则使人觉得较亲切。“我们”代表着“你也参加的意味”，往往使人产生一种“参与感”，还会在不知不觉中把意见相异的人划为同一立场，并按照自己的意图影响他人。善于自我表现的人从来杜绝说话带“嗯”“哦”“啊”等停顿的语气词，这些语气词可能被人感觉对开诚布公还有犹豫，也可能让人觉得是一种敷衍、傲慢的习气，而使人反感。

真正的展示教养与才华的自我表现绝对无可厚非，只有刻意地自我表现才是最愚蠢的。卡耐基曾指出，如果我们只是要在别人面前表现自己，使别人对我们感兴趣的话，我们将永远不会有许多真实而诚挚的朋友。

在办公室里，同事之间本来就处在一种隐性的心照不宣的竞争关系之下，如果一味刻意表现自己，不仅得不到同事的好感，反而会引起大家的排斥和敌意。不恰当表现的另一个误区就是经常在同事面前显示自己的优越性。日常工作中不难发现这样的同事，其人虽然思路敏捷，口若悬河，但一说话就令人感到狂妄，使得别人很难接受他的任何观点和建议。这种人多数都是因为太爱表现自己，总想让别人知道自己很有能力，处处想显示自己的优越感，从而能获得他人的敬佩和认可，结果却是失掉了在同事中的威信。

在同事之间的交往上，相互之间应该是平等和互惠的，正所谓“投之以桃，报之以李”。而那些妄自尊大，高看自己，小看别人，过分自负的人总会引起别人的反感，最终会在交往中使自己走到孤立无援的地步，别人都敬而远之，甚至厌而远之。

职场中，人人都希望出人头地，希望得到别人的肯定性评价。这也合乎鬼谷子说的“英雄一旦找到了用武之地，就应该积极进取，建功立业”的观点。但是表现自我的同时，也不能不顾别人的形象和尊严。如果某位同事的谈话过分地显示出高人一等的优越感，这无形之中是对他人自尊和自信的一种挑战与轻视，排斥心理，乃至敌意也就不自觉地产生了。所以，与同事相处，能做到“揵而内合”才是最高的境界。

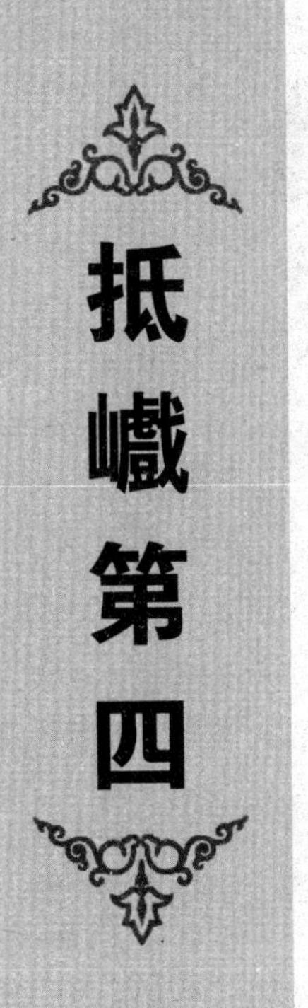
抵巇第四

经典再现

摘要

“抵巇术”具体讨论的是游说之士的从政原则与处世态度。抵，本义是击、接触，可引申为处理、利用。“巇”，原为险峻、险恶之意，后引申为缝隙、矛盾、漏洞等意。抵巇，就是针对社会所出现的裂缝（即各种矛盾与问题）而采取不同的手段。

《鬼谷子》曰：“自天地之合离、终始，必有巇隙。”这里体现出一种朴素的唯物主义态度。“巇”是一种必然的存在。万事万物都会有裂缝、矛盾或漏洞，而裂缝的出现是有征兆的，圣智之士，则能知兆联于初萌，塞缝隙于始见，及时“抵巇”。“抵巇术”分两种，一种是消除隐患的“抵”己之“巇”，一种是乘人之隙的“抵”人之“巇”。对己之“巇”，应修补纠正；对人之“巇”，应洞察利用。

抵巇的基础是了解，是观察，是推理。事有自然，物有合离。世界的本质是运动的，变化的，发展的，所以在运动、变化、发展的过程中必然产生巇隙。运用“抵巇术”，应顺应事物的发展变化规律，着眼全局。若世道还可挽救，就采取措施查补漏洞，“抵而塞之”；若世道不可挽救，就循其漏洞，乘隙而击，“抵而得之”。只有根据不同的情况采取不同的办法，才可以掌握住天地间的神妙变化。

原文

（一）

物有自然，事有合离①。有近而不可见②，有远而可知。近而不可见者，不察其辞③也，远而可知者，反往以验来④也。

注释

①合离：此指分合规律。

②见：察知。

③辞：通异，异点，此指事物、事件本身的特点。

④反往以验来：社会事件的历史考察法。反往，考察事件的历史成因、历史过程。验来，以历史过程比证今天的发展，以掌握其规律。

译文

世间事物都有自己本身的存在规律，事情都有它们自然聚合分离循环往复的道理。但对这些属性和规律，有的近在身边却难以看透，有的远在天边却了若指掌。近在身边难以看透，那是由于不察对方虚实的缘故；远在天边却了若指掌，是因为对它的历史和现状做了深入研究，用经验来推论将来的缘故。

原文

（二）

巇者，罅[①]也。罅者，涧[②]也。涧者，成大隙也。巇始有朕[③]，可抵[④]而塞，可抵而却，可抵而息，可抵而匿，可抵而得[⑤]。此谓抵巇之理也。事之危[⑥]也，圣人知之，独保[⑦]其用，因化说事[⑧]，通达计谋，以识细微[⑨]。经起秋毫[⑩]之末，挥之于太山[⑪]之本。

注释

①罅（xià 下）：缝隙，指小缝。

②涧：此指中缝。

③朕：通“朕”，兆迹，迹象。

④抵：挡，引申为治理。

⑤可抵而却……而得：微缝刚刚出现兆迹时，可以治理它，堵塞它，控制住它的发展，甚至可以让它恢复原状。

⑥危：危险的征兆。

⑦保：恃，凭借。

⑧说事：此指议论此事，思量此事。

⑨细微：此指产生罅隙的微暗原因。

⑩秋毫：秋日羊毫，以喻细微。

⑪太山：即泰山，以喻大而坚固的物体。

【译文】

所谓“巇”就是“隙”，微隙不管，就会发展成小缝；小缝不治，就会发展成中缝；中缝不堵，就会发展成大缝，而使器物破毁。微缝刚刚出现兆迹时，可以治理它，堵塞它，控制住它的发展，甚至可以让它恢复原状。这就是抵巇之术堵塞缝隙的一条基本原理。依此可见，事物败坏的兆迹刚刚出现时，圣智之士就能洞察一切，而且能独当一面地发挥应有的功用，他追寻它变化的踪迹并暗中思量琢磨，分析事物之间的联系，通盘筹划，以找到产生微隙的原因，从而加以预防。事物常常如此，由于毫毛般微小的原因，发展下去，也能毁掉泰山般大而坚固的物体。

【原文】

（三）

其施[①]外，兆萌牙蘖之谋，皆由抵巇。抵[②]巇之隙，为道术[③]用。天下纷错[④]，士无明主，公侯无道德，则小人谗贼[⑤]；贤人不用，圣人窜匿，贪利诈伪者作；君臣相惑，土崩瓦解而相伐射[⑥]；父子离散，乖乱反目，是谓萌牙巇罅。圣人见萌牙巇罅，则抵之以法[⑦]。世可以治则抵而塞[⑧]之，不可治则抵而得[⑨]之。或抵如此。或抵如彼。或抵反之，或抵覆之。五帝之政[⑩]，抵而塞之，三王之事[⑪]，抵而得之。诸侯相抵[⑫]，不可胜数。当此之时[⑬]，能抵为右[⑭]。

【注释】

①施：即扩展。牙：小芽。牙，芽古今字。

②抵：此处意为打、击。

③道术：此指游说处世权术。

④错：乱。

⑤谗贼：进谗言加害于人。

⑥射：射箭，引申为战斗。

⑦法：法则。

⑧塞：堵塞缝隙。

⑨得：自得天下。

⑩五帝之政：指像黄帝、颛顼、帝喾、尧、舜那样的德政。相传五帝时行禅让之法。五帝，一说为伏羲、神农、黄帝、尧、舜，一说为少昊、颛顼、高辛、尧、舜。

⑪三王之事：指像禹、汤、文王那样的政事，夏、商、周三代皆以征伐得天下。

⑫诸侯相抵：指各国诸侯互相攻伐。抵，击也。

⑬当此之时：指战国时期。

⑭右：上。古礼尚右，以右为上。

译文

那些使缝隙萌生并扩而大之的种种谋略，也都是由抵巇的原理生发出来的。从缝隙入手解决问题，是策士游说处世权术的实用手法。天下纷乱，朝廷没有明君，公侯权臣丧失仁德，于是小人谗害圣贤，贤者得不到进用，圣人逃避浊世，贪婪奸邪之徒兴起作乱，君臣互相欺骗迷惑，天下土崩瓦解，四分五裂，百姓相互攻伐，民不聊生。父子离散不合，反目为仇，骨肉分离，夫妻反目。这也叫“萌芽”“裂痕”，即国家大乱，社会政治混乱逐步发展。圣智之士见到这种情况，就会采取相应的手段应付这种局面。圣人若认为世道还可以挽救，就采取措施弥补世道漏洞，对反叛者加以抵制消灭；若感到世道已发展到不可挽救的程度，就循其缝隙，打烂旧世界，重建新世界。或用这种手法治世，或用那种手法治世；或把世道反过来，或让世道恢复本来面目。总之，若遇到像五帝那样的德政，就用抵巇之术帮其弥补漏洞；若遇到像三王那样的征伐之世，就用抵巇手法取代它。当今之世，诸侯互相攻击，战争事件不可胜数，当天下混乱时，能抵抗对手的人被视为尊者能人。这就要充分利用我们的抵巇之术。

原文

（四）

自天地之合离[①]、终始[②]，必有巇隙，不可不察也。察之以捭阖，能用此道[③]，圣人也。圣人者，天地之使[④]也。世无可抵[⑤]，则深隐而待时[⑥]；时有可抵，则为之谋。此道可以上合[⑦]，可以检下[⑧]。能因[⑨]能循，为天地守神[⑩]。

注释

①天地之合离：指混沌初开，天地生成之时。

②终始：指事物发展变化的全过程。

③此道：指抵巇之术。

④天地之使：指圣人能发现、掌握自然规律和社会规律而言。

⑤无可抵：没有可以抵击的缝隙，指清平盛世。

⑥时：时机，指世道出现缝隙之时。

⑦上合：谓抵而塞之，助时为治。

⑧检下：即言自己得有天下。

⑨因：亦循也，遵循。

⑩天地守神：为天地守神位，指郊天祀地。唯帝王才有权郊天祭地，故此代指得帝王之位。

译文

自从天地生成以来，任何事的发展变化过程中必然会出现缝隙，这是我们不可不留心观察的。用捭阖之术去明察世道，又能运用这种抵巇之术去解决问题的，就是圣人了。所谓圣人，是能够发现并掌握自然规律和社会规律的人。假如生逢盛世，没有缝隙可以利用，就深深隐藏起来等待时机。一旦有缝隙可利用的时机到来，就用抵巇之术进行谋划。抵巇这种道术，可以抵塞缝隙，帮助圣君治理天下；也可以抵击缝隙，重建一个新世界。如果能够遵循这种道术去处世，就能博得帝王之位。

【为人处世】

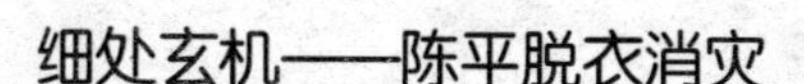

细处玄机——陈平脱衣消灾

陈平，西汉王朝的开国功臣。少时喜读书，有大志。一年，正逢社祭，曾为社庙里的社宰，主持祭社神，为大家分肉。陈平把肉一块块分得十分均匀。为此，地方上的父老乡亲们纷纷赞扬他说：“陈平这孩子分祭肉，分得真好，太称职了！”他感慨地说：“假使我陈平能有机会治理天下，也能像分肉一样恰当、称职。”

后来，秦末战乱，陈平始投魏王，继属楚王项羽，后离楚归汉，佐汉王刘邦，一匡天下，终成汉室名相。汉初三杰，韩信受谤，被擒于云梦泽，死于钟室；萧何遭谗，曾械于牢狱；张良惧祸，托言闲游。陈平却久居相位，且得善终，足见他官场权谋之老道，远在三杰之上。

楚汉相争时，项羽手下陈平偷偷地从军营里溜出来，准备去投奔刘邦。他顺着田间小路，急匆匆地向黄河岸边赶去。

陈平赶到河边，轻声叫来一艘渡船。只见船上有四五个人，都是粗蛮大汉，脸上露出凶相。当时陈早已觉察到，上这条船有些不妙，但又没别的去路。他担心误了时间，楚兵会很快追赶上来，只好上了船。

船只慢慢离开了岸，陈平总算松了口气，但他敏锐地观察到，船上这几个人窃窃私语，相互递着眼色，流露出不怀好意的举动。

“看来是个大官，偷跑出来的。”

“估计他怀里一定有不少珍宝和钱，嘿嘿。”

坐在舱内的陈平听到船尾两个人这样低声议论，并发出阴险的笑声时，不禁有些紧张。心想：“他们要谋财害命！我虽然身上没有什么财物和珍宝，我只是独夫一个，只有一把剑，肯定敌不过他们。如何安全地摆脱危险的困境呢？”

这时船到了河中央时，速度明显地减缓了。

“他们要下手了，怎么办？”陈平在上船时已考虑了一计策。

他从船内站起来，走出船舱说：“舱内好闷热啊！热得我都快要出汗了。”

陈平边说边佯作若无其事的摘下宝剑，脱掉大衣，倚放在船舷上，并伸手帮他们摇船。这一举动，出乎他们的预料。接着他又说：“天闷热，看来要来一场大雨了。”说着又脱下一件上衣，放在那件外衣之上。过了一会儿，再脱下一件。最后，他索性脱光了上衣，赤着身子，帮他们摇船。

船上那几个人，看见陈平没有什么财物可图，就此打消了谋害他的念头，很快把船划到对岸了。

陈平脱衣，消除了一场灾祸。他的机智和聪明也让人心生敬佩之情。《鬼谷子》说：“事之危也，圣人知之，独保其用；因化说事，通达计谋，以识细微。经起秋毫之末，挥之于太山之本。”有智慧的人，在事物败坏的兆迹刚刚出现时，就会敏锐地发现事物的征兆，并凭着自己的力量，追寻它变化的踪迹，暗中思量琢磨，通盘筹划，找到产生微隙的原因，并想出方法解决。

陈平从细微的事物中感知到隐秘的信息，船上人之貌相、之衣着、之言语，都让陈平感觉到自己一定是上了贼船，这已经展示了陈平之非凡的眼力与洞察力；随之，就是应对之策，既然明白这伙人就是谋财害命，于是他就借天闷热为由，用脱光上衣来隐秘地传达出自己身无分文的信息，打消了他们打劫的企图与邪念，自己顺利脱身。

陈平不愧为汉朝的一大谋士，即使在危急关头，能在间不容发的瞬间想出办法，不露声色地把危机消解于无形，做到防患于未然。自天地生成以来，任何事情的变化发展必然会出现缝隙，小隙不察，就有可能引来大祸。懂得“见微知著”，运用“抵巇之术”去解决问题，就能在祸难来临之前及时防治，减少危害。

【管理谋略】

韬光养晦——王翦“自污”以求安

“众人皆浊我独清”是一种非常危险的状态，没有人乐意让一个“异己”长久地立于身侧。以“自污”来做障眼法，能让对方安心，使自己安全。

战国末年秦王政准备吞并楚国，继续他统一中国的大业，他召集大臣和将领们商议此事。

秦王先是问大将李信，攻灭楚国需要多少军队。李信不假思索地说：“有大王的英明决策，挟秦军胜利之师的雄威，灭楚 20 万军队足矣。”

秦王政听了，暗暗称赞李信果然是个少年英雄，他又问老将王翦：“王将军，你的意见呢？

王翦说：“因为楚国很有实力，至少要派 60 万兵。”

秦王政听了，不屑一顾，命李信攻打楚国。

王翦料定李信必败。果然，李信带领 20 万秦军攻打楚国，被楚军连破两阵，李信率残部狼狈逃回秦国。秦王政盛怒之下，把李信革职查办。然后亲自去王翦的家乡，请王翦复出，带兵攻楚。

秦王政见到王翦，恭恭敬敬地向王翦赔罪，请王翦带兵出征，王翦自然答应。出兵之日，秦王政亲率文武百官到灞上为王翦摆酒送行。

饮了饯行酒后，王翦装出一副惶恐的样子说：“请大王恩赐些良田、美宅与园林给臣下。”

秦王政听了有些好笑，说：“王将军是寡人的肱股之臣，日下国家对将军依赖甚重，寡人富有四海，将军还担心贫穷吗？”

王翦却又分辩了几句：“大王废除三代的裂土分封制度，臣等身为大王的将领，功劳再大，也不能封侯，所指望的只有大王的赏

赐了。臣下已年老，不得不为子孙着想，所以希望大王能恩赐一些，作为子孙日后衣食的保障。”秦王政哈哈大笑，满口答应：“好说，好说，这是件很容易的事，王将军就为此出征吧。”

自大军出发至抵秦国东部边境为止，王翦先后派回五批使者，向秦王政要求：多多赏赐些良田给他的儿孙后辈。

王翦的部将们都认为他老昏头了，胸无大志，整天只想着替儿孙置办产业。面对众人的不理解，王翦说：“你们说得不对，我这样做是为了解除我们的后顾之忧。大王生性多疑，为了灭楚，他不得不把秦国全部的精锐部队都交给我，但他并没有对我深信不疑。一旦他产生了疑念，轻者，剥夺我的兵权，罢免我的官职；重者，不仅灭楚大计成为泡影，恐怕我和诸位的性命也将难保。所以，我不断向他要求赏赐，让他觉得，我绝无政治野心。因为一个贪求财物，一心想为子孙积聚良田美宅的人，是不会想到要去谋反叛乱的。”秦王政果然因此而相信王翦没有异心，放心让他指挥60万大军，发动灭楚战争。仅用了一年多时间，王翦就攻下了楚国的最后一个都城寿春（今安徽寿县），俘虏了楚王，兼并了秦国最大的对手楚国。

王翦为打消秦王政的疑心，不惜自损其名，伸手向秦王要求赏赐，使部将以为他老昏了头，但使秦王更加深信他不会造反，从而全力支持他对楚作战，从而使王翦无后顾之忧，一举灭楚。

正如《抵巇第四》所说：“天下纷错，士无明主，公侯无道德，则小人谗贼；贤人不用，圣人窜匿，贪利诈伪者作；君臣相惑，土崩瓦解而相伐射；父子离散，乖乱反目，是谓萌牙巇罅。圣人见萌牙巇罅，则抵之以法。”圣智之人面对天下的纷争，会用抵巇法去处理。小人的谗害，奸邪之人的迷惑，天下相互攻伐。人人都需要睁大眼睛，看清时事，对自己的行动做好策略和打算。

有实力者如果太过“高尚”“自敛”“清正”，会让领导或竞争者觉得不安。适度“自污”，告诉他们自己也只是个贪一时之财的小人物，对方自然会放松警惕。聪明的人总会为自己撑起一把保护伞，以应对突如其来的变化，伴君如伴虎，王翦深谙秦王的心理，打消秦王的疑心是最好的方法。“自污”也是自保。

【商战博弈】

重视细节——苦心修炼，细节定成败

《金领》出版的时候，卫哲对自己的这本书第一句感言便是“写这本书不是少年得志后自信心极度膨胀的产物”。写这本书，仅仅是他对十几年职场生涯的一种总结。

虽然说卫哲仅仅混迹职场十几年，但是没有人敢否认他的职场经验是片面之谈。大凡了解卫哲的人都知道，他的成功是实实在在的辛苦经营得来，没有半分投机取巧，也没有一点儿幸运成分。没有那股认真的劲儿、察言观色的能力和利落高干的经营风格，就不会有今日人们所看到“卫哲风光”。

1993年，卫哲刚刚获得上海外国语学院国际商务管理学士学位。因为学的是外事管理，所以他曾有过做外交家的梦想。可人算不如天算，他所从事的却是与外交家大相径庭且地位相差悬殊的秘书。不过，由于在被誉为“中国证券之父”的管金生手下工作，老板的出色令卫哲并没有不平衡，反而是抓紧时间学习。

然而，当秘书并没有想象中的那样容易，它也是一门“技术活”，老板所有工作上的细节，都需要秘书来打点。用卫哲的话来说，就算是给老板端茶送水，也有一定的技巧。要估摸老板一杯水喝了多少时间，然后再倒下一辈；如果老板讲话多就得倒得勤一点儿；如果在会场外边，什么时候去倒水，又不能打断老板讲话的激情，什么时候光倒水不加茶叶，什么时候该带着茶叶进去，这都是技术。倘若老板还抽烟，什么时候打火机里的油没了该换个打火机，这也必须把握。

刚当上秘书时，老板怕卫哲不熟悉，让他先翻译年报，然后负责剪报工作。剪报看似容易，但那么多报纸，老板要看哪方面的，哪一条比较重要，都需要卫哲费心思摆弄。后来因为他剪报纸有一手，弄得管金生不看他的剪报就吃不下中午饭，有时管金生吃着午饭时

就要“小卫剪报”。

做个小小的秘书，卫哲的细心和贴心表现令管金生感受到了他的重要性。现代人都讲“细节决定成败”。卫哲将所有的细节都做到了位，令管金生深感如果再让他做复印、倒水、剪报等工作就是屈才，于是一年多以后，小人物终于成了大人物，年仅 24 岁的卫哲就被擢升为上海万国证券公司资产管理总部的副总经理。

人生有平静也会有风暴。此后的几年内，先是万国证券被并购，卫哲受不了公司易名而意气用事，决然辞职。不久他到了永道会计事务所，未曾想普华又与永道合并，组成普华永道。那时卫哲 26 岁，因为正在英国总部工作，所以看清了普华永道在中国不会有太大发展动作的现实，自己继续待下去，回国也不可能成为一把手，于是再次辞职。在这之后，卫哲又去了东方证券投资银行总部，担任董事总经理。

年纪轻轻的卫哲虽然步步高升，却并没有找到事业的归属，直到 2000 年，卫哲进入百安居（中国区）担任执行副总裁兼财务总监，才开始大展拳脚。从 2002 年到 2007 年，也就是卫哲任百安居（中国区）总裁期间，他率领管理团队快速地实现了百安居在中国的本土化，将公司在中国原有的 5 家分店、1300 名员工，发展到在 23 个城市拥有 55 家分店和超过 1 万名员工的大型建材零售超市，击败并最终戏剧性地收购了竞争对手欧倍德，在业内一炮打响，而百安居也一跃成为中国第三大外资零售企业。除此之外，他的经营和管理模式一度被人称道，被纳入百安居全球资源运作销售模式当中。

卫哲的出色太过显而易见，以至于让人们无法忽视他的实力。于是，一向眼界极高的阿里巴巴集团主席兼首席执行官马云在 2007 年底向卫哲伸出了橄榄枝。

“和卫哲的相识，改变了我对职业经理人的看法。尽管卫哲非常的年轻，但是我发现他敢于做出重大决定并承担责任。他能够在短短的三年时间里，使百安居公司在中国的业务获得如此巨大的拓展，充分显示了他的独到的战略眼光和对企业的高度领导力。”

从前的卫哲，用细心和责任心赢得了管金生的信任，用高干的实力征服了他所工作的各企业，如今的卫哲，不禁依靠从前的优势，还用他的独到的战略眼光和高效管理模式彻底征服了一向胃口苛刻的马云。

当时的全球著名财经杂志《福布斯》对卫哲接受马云的邀请加入阿里巴巴，出任阿里巴巴网络公司的总经理给予了高度评价。《福布斯》甚至这样比喻，卫哲加入阿里巴巴真是恰逢其时，他甚至有点儿像谷歌的埃瑞克，将把一个处于火热发展中的企业带入更加快速的成长中。《福布斯》还替卫哲说出了他的使命：要将阿里巴巴从目前交流商业信息的平台转变为一个全方位的电子商务运作平台；把中国这家最热的上市公司变成世界领先的企业。

《福布斯》的一番话，令卫哲承担了前所未有的压力，不过卫哲历来稳重的行事作风和强悍商业运作能力，让他游刃有余地驾驭了阿里巴巴网络公司总经理这个职位。事实证明，马云的眼光是正确的，而卫哲的能力更是毋庸置疑。

2009 年，全球经济迎来了冬天，中国的企业纷纷遭受重创，中国的中小型制造零售业更是严重受挫。对于阿里巴巴这个专为中小企业提供发展平台、依靠其赢利而赚钱的电子商务平台来说，等于瘸了一条腿。但作为国内最大电子商务平台的“掌舵人”，卫哲对 2010 年的中国制造仍然满怀信心。在他看来，一次经济危机就会令整个行业进行洗牌，机遇的发展总会伴随着阵痛，幸存下来的生产商和制造商将会再掀“中国制造”的浪潮。

卫哲对中国制造业的大胆预测，其实也是建立在他素来细心观察的基础上。他甚至可以预测哪一种制造业在那一个月的时段海外销售最不理想。一个无论是实干还是推理这两种外功内功皆如此精到的人，阿里巴巴想在他的手上落后恐怕都难。

这些年来，卫哲的风光一直被世人所接纳，三十岁出头就成为全球所瞩目的企业家，人们对他一生的稳步上青云羡慕至极。可是，卫哲的事业，完全是他辛辛苦苦经营而来。在做秘书的时候，他对工作中的任何细节从不放过；在做事业的时候，每天工作 14 到 16 个小时，是别人工作时间的 2 倍。如果把卫哲称为年轻一辈的武林顶尖高手，那么他的高绝不是像别人那样得到奇遇，又或者得到什么秘籍，卫哲就是凭借着比别人多吃一倍的苦，得到了今日的成就。他能够得到马云的青睐，恰恰也在于此。

《鬼谷子》说：“因化说事，通达计谋，以识细微。”有积累才有收获，细节决定了卫哲的成功。“圣人见萌牙巇罅，则抵之以法。世可以治则抵而塞之”，注重细节，是人生的一种修养。注重细节，就能对自己有充分的认识。重视细节，不仅在立身做人方面影响巨大，更是一个人成就事业必须具备的品质。

【职场之道】

防微杜渐——“预见”是最好的防范

很多人都听说过1977年发生在美国纽约的“大停电”事件，在这次大规模停电事故发生之前，纽约的联合爱迪生公司主席查尔斯·卢斯还在一次电视采访中信誓旦旦地宣称：“联合爱迪生公司的系统处于其15年中的最佳状态，这个夏天完全没问题。”3天之后，整个纽约城区陷入了24小时的黑暗之中，这就是轰动一时的“1977年大停电”事件。

很多人正是因为过于害怕危机而不愿意正视危机，这正应了狄摩西尼的话：“没有什么比自我欺骗更容易的了。因为人们渴望什么，就相信什么是真的。”面对危机，人们总是习惯采取逃避或者排斥的心理，这种心理并不能帮助人们提高对危机的警惕，相反，只能更加纵容自己对于危机的麻痹心理。

斯蒂文·芬克，一位著名的管理咨询顾问曾在一篇文章中诙谐地指出，每一位经营者“都应当认识到死亡和纳税是不可避免的，并必须为之做计划一样，认识到危机也是不可避免的，也必须为之做准备。这样做并不是出于软弱或者胆怯，而是出于知道自己准备好之后的力量……更好地与命运周旋。”预见危机并不是一种胆怯或者过于谨慎的行为，而是一种避免和有效解决危机的必要手段。

美国一家船运公司每年都评选一次最优秀的船队，这个船队首先要满足一个条件：出海的过程中出现事故最少。有一个船队每年都会被评上，因为在海上航行的时候，这个船队几乎没有出现过什么事故，当然，一些自然事故是无法避免的。

当有人问及是什么让这个船队如此优秀时，那个优秀船队的海员会说：“其实没什么，我们只是定期进行细心的船舶检修，尤其是航行前。因为我们知道，今天不做，明天就会后悔，仅此而已。”

熟悉航海的人都知道，由于船舶运行的故障和磨损、海水较强的腐蚀性、海洋生物强烈的附着力和快速的生长力，使得船体很容易出现问题，产生难以清除的锈斑、锈皮和贝类，严重影响船舶的行使效率和行驶安全，所以必须对船舶进行定期检修，这样才能不出问题或者少出问题。

经营企业就像是驾驶轮船，在市场上冒着巨大的风险前进。如果没有万全的准备，有谁愿意搭上这艘船？因此，如果没有采取预防措施，勇气只会把所有人和这艘船推向不知名的危机。

“今天不做，明天就会后悔”，那些海员说得好。赶在危机之前就解决问题，这或许也是应对企业危机最好的办法。现在很多企业都设立了专门的危机预警机制，定时在企业进行危机实习，这对企业危机的防范很有帮助。

M公司是一家专门经营体育用品的公司，其创办者尼丁·诺利亚认为经常在员工中进行模拟训练，可以使他们对最坏情况的发生做好准备。M公司对于新员工，主要是训练他们如何处理店内发生的危机情况。每一个员工都必须了解确保问题得到有效管理以及把对商店和顾客的损害降到最低点的方法。

“我相信不论管理得怎么好，每一个企业都会面临某种危机，”尼丁·诺利亚说，“成功企业与不成功企业的区别就在于他们是如何管理问题的：问题要么转变成危机，要么虎头蛇尾以失败告终。”

尼丁·诺利亚接着说：“我所有的员工都需要知道帮助防范危

机及如何管理危机的道理。我们谈了许多我们怎么才能做得更好和企业的弱点所在。我也相信进行模拟危机训练的效果。因为我们经常会在特定季节招聘新员工，因此会一年举行两次模拟危机训练。”每隔 6 个月，在某一个星期六，M 公司会要求上白班的员工在开店前提前 90 分钟到达进行训练。上夜班的员工则在关店后晚走 90 分钟。员工们知道会发生一次模拟的危机，但不知道具体情况。在以前的模拟中，有一次是一位大声叫喊、非常可恶的顾客拒绝离开商店。在另一次模拟中，有一位员工突然心脏病发作。还有一次是一位假冒的电视记者走进商店来调查为什么一位顾客没有得到赔偿。

在每一次危机模拟训练之后，通常将进行一场友好的评论，在这里，员工们讨论所采取的行动以及应该改进的地方。模拟结束后，所有参与活动的员工都会参加抽签，有机会赢得三个奖项中的一个，例如一件队服，一个昂贵的高尔夫球包，或是某件商品的赠予证书。

“每次当我们进行时，每个人都会笑起来并说：‘噢，我真高兴这只是练习而不是真事。’”尼丁·诺利亚说，“我们经常想方设法把事情做得更好，以便在危机发生时能更有信心对付它。到目前为止，我们很幸运还没有经历过真正的危机，但如果真碰上时，我们会做好准备的。”M 公司的危机模拟训练是现在很多企业都在采用的一种危机管理模式，它可以让员工时刻在工作中保持警惕，防患于未然。

鬼谷子的“抵巇术”告诉我们，当我们身处顺境的时候，一定要兼顾潜在的危机，防微杜渐，时时都要有紧迫感，要做好准备工作。这样，在危机来临的时候才不至于陷入被动局面，才能及时应对，转危为安。

飞箝第五

经典再现

摘要

“飞箝术”意在运用褒扬之词钩出对方的意图，进而钳制、控制对方，已达到控制和掌握对方的目的。“飞”，即褒扬激励；“箝”，即钳制、控制。

《鬼谷子》的飞箝术是通过言辞以控制人的权术。它不仅是引人之术，还是服人之术，更是用人之术。运用飞箝术对付别人时，要审度权谋，权衡形势，对于那些帮助我们决策的人，揣摩他的心意，知道他的喜好，然后用动人的话语套住对方，从言谈之中察知他的真实意图，喜欢名利就用名利诱惑他，爱好美色则以美色诱惑他，贪恋权势就用高官厚禄诱惑他，最后使对方为我所用。

掌握了运用飞箝术的方法，就能准确权衡人的智能、才干和气质，便可以运筹帷幄，掌控全局。不但可以用于个人，还可以用于天下，以此钓知天下，游说诸侯，钳制诸侯，实现纵横策士们的政治目的，这样就可纵可横，可南可北，可东可西，可反可复。

原文

（一）

凡度权量能，所以征远来近[①]。立势而制事[②]，必先察同异，别是非之语[③]，见内外之辞[④]，知有无之数[⑤]，决安危之计，定亲疏之事[⑥]。然后乃权量之，其有隐括[⑦]，乃可征，乃可求，乃可用。引钩箝之辞[⑧]，飞而箝之[⑨]；钩箝之语[⑩]，其说辞也，乍同乍异[⑪]。其不可善者[⑫]，或先征之而后重累[⑬]；或先重以累而后毁[⑭]之。或以重累为毁，或以毁为重累。其用或称财货、琦玮、珠玉、璧帛、采色[15]以事之，或量能立势[16]以钩之，或伺候见涧[17]而箝之，其事用抵巇。

注释

①征远来近：征召远近之贤者使他们都来听用。

②立势而制事：制造有利形势，干一番大事业。

③是非之语：此指与自己观点的同异。

④内外之辞：即真假之语。

⑤有无之数：指有无权谋韬略。

⑥亲疏之事：指人才使用，确定哪些人可亲近重用，哪些人须疏远黜斥。

⑦隐括：即檃栝，亦作案括，本指矫直竹木的器具，引申为对我们有所匡正补益。

⑧钩箝之辞：引诱对方心中的实情并加以钳制。

⑨飞：飞誉。

⑩语：即辞也。

⑪乍同乍异：或大开大启，或大闭大抑。

⑫不可善：用钩钳之辞不能控制的人。

⑬重累：累，忧患，危难。重累，即以忧患胁迫。

⑭毁：诋毁，造舆论。

⑮采色：指美女姿色。事：此指收买。

⑯立势：此指立去就之势。

⑰涧：此指漏洞、把柄。

译文

凡是考察全变能力，对人审度权谋，衡量才能，是为了让远近贤士前来为我所用。随后应确定情感的意向，要想创造形势，干一番大事业，必须先察知自己的死党有多少，他们的观点与自己的观点是否完全一致，他们是否说真心话，是否有高超的权谋韬略，还要制定图谋大事的计谋，排比自己的队伍决定可重用的人物，安排好人事之后，再权衡形势而谋图大事。对于那些可以匡正裨补我们决策的人，才可以征求，才可以使用。应对他们使用钩持钳制词句，飞扬赞誉而钳制住他们，使他们为我们所用。和对方交谈时，可以用一些话语引诱对方讲出内心所想。钩持钳制之类的语言，作为游说词句来说，或大开大启，或大闭大抑，也是用捭阖之术来驾驭。对于那些用钩钳之辞不能控制的人，就用“重累术”制服他。或者先把他招来，重用试探，而后用忧患、危难之事胁迫他；或先胁迫他而后再造舆论诋毁他。或主要用胁迫术，或主要用诋毁术。总之，飞箝术的运用，或用财物、宝石、珠玉、璧玉财帛、美女容色来引诱收买；或者依据他的才能的大小，用名禄地位来吸引他；或使用抵巇之术，访察他语言、行动中的漏洞威胁他，让他乖乖跟我们走，是最终目的。

原文

（二）

将欲用之于天下[①]，必度权量能，见天时之盛衰，制地形之广狭，阻险[②]之难易，人民货财[③]之多少，诸侯之交孰亲孰疏，孰爱孰憎[④]。心意之虑怀[⑤]，审其意[⑥]，知其所好恶，乃就说其所重，以飞箝之辞，钩其所好，乃以箝求之[⑦]。用之于人[⑧]，则量智能，权材力，料气势[⑨]，为之枢机[⑩]。以迎[⑪]之随之，以箝和[⑫]之，以意宣[⑬]之，此飞箝之缀[⑭]也。用之于人，则空往而实来[⑮]，缀而不失[⑯]，以究[⑰]其辞，可箝而从[⑱]，可箝而横[⑲]；可引[⑳]而东，可引而西，可引而南，可引而北；可引而反[㉑]，可引而覆[㉒]。虽覆能复[㉓]，不失其度[㉔]。

注释

①用之于天下：意指施展政治抱负，对君主用飞箝之术，以控制他。

②阻险（jū xiǎn）：山川险要之处。阻，同砠，带土的石山。

③人民货财：此指军事实力和经济实力。先秦时按户数征兵，国内人口多，兵员就多。

④诸侯……孰憎：指外交局势，它是战国时期政治形势中的重要方面。

⑤心意之虑怀：指君主关心的问题。

⑥审其意：审察君主心意。

⑦以箝求之：以飞箝之术钳制君主让他执行策士们的决策。

⑧人：此指君主以外的其他人。

⑨气势：指人的气度。它是战国时选用策士的重要标准之一。

⑩枢机：关键。即上所言财货、宝石等喜好。

⑪迎：迎合。随：附和。

⑫和：指双方调和。

⑬宣：宣导，开导，启发。

⑭缀：连结。

⑮空往而实来：用赞扬、称颂手段去赞誉对方，使彼此之间能够相互沟通，对我们敞开心扉，然后利用对方弱点把对方牢牢控制住。

⑯缀而不失：与对方连结而不分离，此指牢牢控制对方。

⑰究：一查到底。

⑱从：纵。从，纵古今字。纵，指合纵，即联合众多弱国以对付一强国。

⑲横：指连横，即两个强国联合起来对付其他弱国。

⑳引：导引。

㉑反：一反旧策略，抛开旧盟友。

㉒覆：恢复旧方针，与旧盟友言归于好。

㉓复：恢复。

㉔度：一定准则。

译文

假如要将飞箝之术运用到天下大势政治斗争中，去游说君主时，一定要先审度这位君主的权谋，衡量他的才能，观察天时是否宜于我们行动，审察地形宽窄、险阻难易是否对我们有利，看这个国家军事、经济实力如何，看这个国家盟友有多少以及国际上的联盟是否对这个国家有利，还要知道这位君主最关心的是什么，还有了解这位君主的好恶。摸准了君主的心意，了解了他喜欢什么、讨厌什么，然后前去游说他最关心的事情，并用飞钳之辞钓知他的喜好，再用飞箝之术钳制他让他照我们的决策办。若要对君主以外的人用飞箝术，就要先衡量对方的智力才干，权衡他的才气能力，度量对方的势力，审度一下他的气度仪表，抓住他的喜好弱点，去迎合他、附和他，用飞箝之术调和他与我们的差距，使双方相互适应、协调，再以积极的态度去激励他，用我们的意图去开导、启发他，这就是用飞箝之术去控制人。总之，对人使用飞箝之术时，要先用赞扬、称颂手段去赞誉对方，使彼此之间能够相互沟通，而不至于失去好机会，使他昏昏然引我们为知己，对我们敞开心扉，然后利用对方弱点把对方牢牢控制住。最后，究察他的言辞，摸准他的心意。做到这些，我们就可以钳制对方，使他合纵，使他连横，使他向东，使他向西，使他向南，使他向北，使他一反旧策，使他恢复旧策，恢复了旧策还能再让他执行新策。无论怎样做，也脱离不了我们既定的准则。虽然如此，还是要小心谨慎，不可丧失其节度。

【为人处世】

动之以情——刘秀的“攻心术”

“让人心服，而非征服”是历来统治者秘而不宣的治国之道。不到万不得已，统治者一般不会采取武力的办法，因为人心永远不是武力能征服得了的，让人心服才能保证长治久安。

东汉的开国皇帝刘秀精于谋略，智勇兼备。刘秀在争伐天下的过程中，十分注重御心之术，很多棘手的问题他都能轻松化解，最终战胜所有对手，拥有天下。

建武三年（27 年），刘秀亲率大军前往宜阳，截断了赤眉军的退路。赤眉军的小皇帝刘盆子惊惧万分，他对自己的哥哥刘恭说：“我们虽有十万大军，却早已是惊弓之鸟，无力再战了。我苦思无计，万望兄长能够来救我。”刘恭颇有才智，他点头说：“战之无益，眼下保命要紧。刘秀乃是你我刘氏的宗亲，请允许我恳求于他，放我等十万兵众一条生路。”

刘恭就此事和众将商议，有人便忧心地说：“此议虽好，怕只怕刘秀不肯。如今敌强我弱，不比昔日，他为了消除隐患，又怎能真心饶我们不死呢？与其受辱也不能免死，不如拼死一战。”众将犹豫，刘盆子更是放声大哭，刘恭见状开口说：“为了万千将士的性命，我还是主张恳求刘秀开恩。倘若事不如愿，我刘恭自然会和你们誓死抗敌。”

于是刘恭求见刘秀，说明归降之意后，刘恭又说：“陛下能有今日的成就，可知是为什么吗？”刘秀一笑说：“败军之将，有什么资格能评说朕？”刘恭嘴上不停，又道：“赤眉军曾有百万之众，竟有今日之败，陛下也不想知道什么原因吗？”

刘秀凛然正色，平声说："早就听说你多有见地，朕且容你叙说一二。如果你言语不实，巧言惑人，朕定要严加治罪。"刘恭苦笑一声，后道："赤眉军残暴待民，百姓怨恨，终成不了大事。陛下仁爱谦和，善收民心，百姓拥戴，方有时下大功。陛下虽取天下，若能再施仁义，赦免我将士，一来可以增加陛下的美名，二来可以保陛下江山不失，变乱不生，不知陛下可曾作此设想？"

刘秀脸上不动声色，心中却为刘恭之语深深打动，他故意反驳说："你们无力再战，才会主动请降，倘若只是一时权宜之计，朕岂不上了你们的大当？朕实在很难相信。"刘恭却不辩解，只说："莽贼不仁，方有天下之乱。他屡次使用武力和军队残害百姓，其报也速。在下话已言尽，全在陛下裁断。"

刘秀和群臣议事之时，将刘恭所言复述一遍，他感叹说："天下还未大定，刘恭的话不可不听啊。我们剿灭赤眉军容易，可要恃此征服民心就大错特错了。百姓不服，天下就不会真正太平，这才是朕最担心的事。"刘秀于是又召见刘恭，答应了他们的投降请求。刘秀又下令赐给他们食物，让长期饥饿不堪的十万赤眉军将士吃饱了肚子。刘秀还安抚刘盆子说："你们虽有大罪，却有三善：你们攻城占地，富贵之时，自己的原来妻子却没有舍弃改换，此一善也。立天子能用刘氏的宗室，此二善也。你们诸将不杀你邀功取宠，卖主求荣，此三善也。"

刘秀的手下深恐赤眉军再起叛乱，私下对刘秀说："陛下仁爱待人，只需安抚住赤眉军将士即可。刘盆子身为敌人头领，难保不生二心，此人不可不除啊。"刘秀对手下人说："行仁之义，全在心诚无欺，如此方有效力。朕待他不薄，他若再反，那是他自取灭亡；朕若背信枉杀，乃朕之失，自不同也。"刘秀对刘盆子赏赐丰厚，还让他做了赵王的郎中。人们在称颂刘秀的贤德时，天下的混乱局面也平息下来，日渐安定。

《鬼谷子》说："心意之虑怀，审其意，知其所好恶，乃就说其所重，以飞箝之辞，钩其所好，乃以箝求之。"

在这里，刘秀不愧是有远见的统治者。他在天下未平之时就能安抚败兵并体察百姓的心意，极力展示自己的“仁慈”，为自己赢得了民心，为平定天下打下了基础。

用“仁慈”攻破敌人的心理防线，往往比杀戮更有杀伤力，对本性善良的百姓尤见功效。凶残的统治者使强用狠，他们轻视民众，迷信武力，那只是他们头脑简单、不解人情的反映，必然适得其反。用“飞箝”术捕获民心，最终才会得民心者的天下。

【管理谋略】

招贤纳士——燕昭王千金买骨

公元前314年，燕国发生了内乱，临近的齐国乘机出兵，侵占了燕国的部分领土。

后来燕昭王当了国君以后，他消除了内乱，决心招纳天下有才能的人，振兴燕国，夺回失去的土地。虽然燕昭王有这样的号召，但并没有多少人投奔他。有人提醒他，老臣郭隗挺有见识，不如去找他商量一下。

于是，燕昭王亲自登门拜访郭隗，对郭隗说：“齐国趁我们国家内乱侵略我们，这个耻辱我是忘不了的。但是现在燕国国力弱小，还不能报这个仇。要是有个贤人来帮助我报仇雪耻，我宁愿伺候他。您能不能推荐这样的人才呢？”

郭隗摸了摸自己的胡子，沉思了一下说：“要推荐现成的人才，我也说不上，请允许我先说个故事吧。”接着，他就说了个故事：“从前有一位国君，愿意用千金买一匹千里马。可是三年过去了，千里马也没有买到。这位国君手下有一位不出名的人，自告奋勇请求去买千里马，国君同意了。这个人用了三个月的时间，打听到某处人家有一匹良马。可是，等他赶到这一家时，马已经死了。于是，他就用五百金买了马的骨头，回去献给国君。国君看了用很贵的价钱买的马骨头，很不高兴。买马骨的人却说，他这样做，是为了让天下人都知道，大王您是真心实意地想出高价钱买马，并不是欺骗别人。果然，不到一年时间，就有人送来了三匹千里马。”

郭隗讲完上面的故事，又对燕昭王说：“大王要是真心想得人才，也要像买千里马的国君那样，让天下人知道你是真心求贤。你可以先从我开始，人们看到像我这样的人都能得到重用，比我更有才能的人就会来投奔你。”燕昭王认为有理，就拜郭隗为师，还给他优厚的俸禄，并让他修筑了“黄金台”，作为招纳天下贤士人才的地方。

就这样，燕昭王爱贤敬贤的名声不胫而走，风传天下。各国才士争先恐后地奔赴燕国。其中不乏名士：如武将剧辛从赵国来，谋士邹衍从齐国来，屈庸从卫国来，乐毅从魏国来。真是人才济济，邹衍是阴阳五行大家，当时已名闻天下。燕昭王迎接邹衍时，他亲自用衣袖裹着扫把，退着身子边走边扫，在前面清洁道路。入座时昭王主动坐在弟子坐上，敬请邹衍以师长身份给自己授业。昭王的这一系列举动引起了很大的反响，投奔燕国的士人更为踊跃。昭王大开国门，不拘一格地广为接纳。不唯欢迎知名学者，而且把那些有志灭亡齐国的，熟悉齐国险阻要塞和君臣关系的善于用兵打仗的士人，尽数收留下来，并给予优厚的待遇，多方积蓄力量，以利兴燕破齐。

正是在邹衍、乐毅等贤臣名士等人的辅助下，燕昭王兢兢业业地奋斗了 20 多年，不仅国家日渐殷富，积累了相当实力，而且培养了奋发图强的民风。燕国上下同仇敌忾，一举打败了齐国，夺回了被占领的土地。

《鬼谷子》说：“凡度权量能，所以征远来近。”人有时候就是很奇怪，起初燕昭王也曾经打出招募贤才的旗号，但是无人问津；及至千金买马骨、高筑黄金台，贤才竟然蜂拥而至。同是一个燕昭王，同是为了招募贤良，但前后两种境遇截然不同，这期间的微妙就在于人心，试想燕昭王为一郭隗就肯如此一掷千金、兴师动众，那么作为视自己为贤才的人们也就很容易地想到了，如果自己也来投靠燕昭王的话，也会享受到这番礼遇与恩惠。

“引钩箝之辞，飞而箝之；钩箝之语，其说辞也，乍同乍异。其不可善者，或先征之而后重累”，这是《飞箝第四》的一个重要法则，也是鬼谷子给我们的一个生存谋略。其实，“千金买骨”也好，“高筑黄金台”也好，这只是燕昭王为了招贤纳士所进行的一系列的炒作与造势，希望借助这些非常的举动向人们传达一种极具吸引力的信息：只要你是贤才谋士，我都会好好招待你，给你施展才华的机会。这正好迎合了人们内心渴望别人的尊重与认可以及建功立业的心理。所以才会出现“剧辛方赵至，邹衍复齐来”这样的人才济济、国富民强的情形。

【商战博弈】

将计就计——航空公司危机变商机

危机，不仅是“危险”，还有“机会”！“灭顶之灾”可以奇迹般地变成“无限商机”，当然，这需要变通思维进行创意！

对于大多数航空公司来说，2002 年的 9 月 11 日是痛苦的。但是就在当天，美国精神航空公司不仅上座率是全美最高的，而且美名远扬。这一切，缘于该公司的绝妙创意……

“9·11”对约翰的影响是深远的。作为一家小型航空公司的市场部经理，“9·11”不仅使约翰的薪酬锐减，更使得本来聪明能干的他束手无策。任凭如何努力，航空市场的大萧条，使得约翰所在的美国精神航空公司面临的不再是以往如何尽快增长的问题，而是巨大的生存压力。

眼看 2002 年的 9 月 11 日就要到了。由于担心恐怖分子在周年当天再次发动类似行动，全美普遍预测，“9·11”当天的上座率将非常低，削减航班已成定局。甚至有人半开玩笑地对约翰说：“贵公司这样的中小型航空公司，9 月 11 日当天全公司休假可能会好一些。”

约翰清楚地知道这一切，甚至知道董事会已经准备提出削减航班的计划。可是，难道就没有一点儿办法吗？不行，得努力想想！

有了，有办法了。行动！

2002 年 8 月 6 日，美国精神航空公司宣布：“9·11”周年祭乘机免费！

8 月 7 日，精神航空公司机票预订中心的电话就开始响个不停，公司网站也因为访问者过多而发生网络大塞车；公司 30 架中小型飞机所能提供的 1.34 万个座位，几个小时内就被预订一空。公司领导层对此表示满意，董事会成员和所有公司高级官员决定在 9 月 11 日这一天，亲自到机场为乘坐免费航班的乘客送行。

分析人士认为，这一活动带来的社会效应和广告效应，远远超过了公司的机票损失。公司的核算部门估计，免票活动将带来 50 万美元的损失。这笔款项对于这个拥有 12 年历史，主要市场仅包括佛罗里达、底特律和纽约的小航空公司来说，不是一个小数目。但精神航空公司今后得到的回报将远大于 50 万美元，起码大多数乘客在预订免费航班的同时，订购了几天后的回程票。

除此之外，美国大小媒体都在报道精神航空公司“独树一帜”提供免费机票的事情，一时间“精神航空”成了媒体上出现频率最高的公司。这样的宣传效果，绝非 50 万美元可以达到的。可以说，精神航空公司已经从一个名不见经传的小公司，一日之间成为全美著名的“爱国航空公司”。

《今日美国》旅游版的专栏记者说：“精神航空的做法，绝了！”的确，几个星期前，精神航空和所有其他航空公司面临的问题一样——9 月 11 日前后的订票数量奇低，上座率不足 20%。这一招，使精神航空公司成为全美 9 月 11 日上座率最高的航空公司。

相比之下，美国多家大型航空公司——美洲、联合、三角等，以及经营美国航线几十年的英航、法航等公司，都计划减少 9 月 11 日的航班数量。

需要指出的是，危机并不能简单地理解为创意的催化剂，更不

能通过制造危机来获取创意。因为通常情况下，“危机”就是“危机”，没有危机才是我们应该追求的。然而。一旦出现危机，郁闷和发牢骚统统没有用，我们应该做的，就是直面困境，想方设法寻找突破机会，寻求创意。甚至可以巧妙转变，利用危机，让它带来积极效果，这无疑是变通所能带来的奇迹了。

【职场之道】

适时奖励——塑料大王的物质刺激

不可否认，表扬和赞美是有效的管理激励方法。但就人的本性而言，更多的员工喜欢对他们的表扬和赞美是有形的、实实在在的，奖励就是这种有形和实在的赞美和表扬。这种方法也可以让下属更积极地做事。

曾经蒸蒸日上的“塑料大王”梅布尔，经营的一家塑料生产公司在 1998 年业绩大幅滑落。由于员工们意识到经济不景气，这一年干得比以前更卖力。马上到年底了，照往例，年终奖金最少加发两个月，多的时候，甚至再加倍。然而今年惨了，财务算来算去，顶多够发一个月的奖金。总经理看到这种情况后焦急万分，他知道员工今年的工作激情比任何一年都要高。如果按以前的标准发放年终奖的话，势必会给企业留下重大的创伤；如果不那样做的话，又怕因此员工的士气大败，这样给企业造成的损失将更大。怎么办？如何给员工一份满意的薪酬？

总经理请来远在马来西亚的董事长梅布尔一起商讨如何解决这个问题。董事长梅布尔听完总经理的介绍后，形象地说道：“每年发的红包就好像给孩子糖吃，每次都抓一大把，现在突然改成两颗，小孩一定会吵。”聪明的总经理突然灵机一动，想起小时候到店里买糖，他总喜欢找同一个店员，因为别的店员都先抓一大把拿去称，再一颗一颗往回扣。那个店员则每次都抓不足重量，然后一颗一颗往上加，这样使得小孩很满意。于是，董事长和总经理为设计出员工满意的薪酬策略，达成了共识。

几天后，公司下达了一个决策：由于营业不佳，年底要裁员。顿时公司内人心惶惶，每个人都在猜会不会是自己。最基层的员工想："一定由下面杀起。"高层主管则想："我的薪水最高，只怕会从我开刀！"但是，没过几天，总经理就宣布："公司虽然艰苦，但我们不能没有你们，无论有多少困难，公司都愿意和你们一起渡过难关，只是年终奖金就不可能发了。"听说不裁员，人人都放下心头的一块大石头，早压过了没有年终奖金的失落。

新年将至，员工看着别的公司的员工纷纷拿到了年终奖金，多少有点儿遗憾。突然，董事长召集高层领导紧急会议。看领导们匆匆开会的样子，员工们面面相觑，心里都有点儿七上八下：难道又要裁员了吗？

没过几分钟，各级领导们纷纷冲进自己的办公室，兴奋地高喊着："有了！有了！还是有年终奖金，整整一个月，马上发下来，让大家过个好年！"整个公司沸腾了，员工为了满意的年终奖而高呼，很多员工都主动要求过节期间加班。一次"满意"的薪酬激励，终于换来了第二年的发展。

在企业遇到困境的时候，梅布尔以毒攻毒，先制造出裁员的紧张气氛，令员工惶恐不安。再抓住员工急于争议的话题给予"意外的惊喜"，在员工高兴之余，进而"开仓放粮"，笼络人心。不仅解决了恼人的问题，还赢得了来年大发展的机会。这正是梅布尔对"飞箝术"的灵活应用。

可见，"飞""箝"结合，抓住要害，对于奖励下属，解决危机是非常有用的。当然，这种用危机感制造紧张气氛的策略最好是用在公司运营不佳的时候，如果公司赚得盆满钵满，再用这种方法来激励下属，就只能适得其反。

忤合第六

经典再现

摘要

“忤合术”是以反求合的方法。“忤”，是忤逆、反忤、相悖的意思，“合”是趋合、顺应、相向之意。“忤合术”的实质是“以忤求合”，认为要达到某一目的，实现自己的意愿，必须曲折求之，以此求彼。

《鬼谷子》认为：“世无常贵，事无常师。”事物总在变化中，世间万物趋合与背反是普遍存在的，它们时而互逆、时而互补、时而互换，或者合于此而忤于彼，或者合于彼而忤于此，变化多端。由此可知，“忤合”是事物发展变化中的应变常规。

鬼谷子主张“因事为制”，善于“向背”，精于“忤合”。任何事物都有正反逆顺的发展形势，实施忤合之术，必须充分认识万物皆在变化中。无论谋臣说客，首先要对自己有清醒的认识，还应对具体事物多方研究，做到“知己知彼”，从而采取具体的应变方法。圣人应该“无所不作”“无所不听”。才能进退自如，游刃有余。

原文

（一）

凡趋合[①]倍反，计有适合[②]。化转环属[③]，各有形势[④]。反覆相求，因事为制[⑤]。是以圣人居天地之间，立身御世[⑥]，施教[⑦]扬声明名也，必因事物之会[⑧]，观天时之宜，因之，所多所少[⑨]，以此先知之，与之转化[⑩]。世无常贵[⑪]，事无常师。圣人无常与[⑫]，无不与；无所听，无不听。成于事[⑬]而合于计谋，与之为主[⑭]。合于彼而离于此，计谋不两忠[⑮]，必有反忤[⑯]。反于是，忤于彼；忤于此，反于彼，其术也。

注释

①趋合：快步凑上去迎合。趋，小跑。倍反：转过身返回来。倍，通背。反，返回。反，返古今字。

②适合：适应现实而合于实情。

③化转环属：事物发展变化像圆环一样连接循环。属，连。

④形势：具体背景和现实状况。

⑤制：制事立计。

⑥御世：处世，处理政治事务。

⑦施教：实施教化，教化百姓。明名：显名。

⑧会：时机，机会。此指世间事物凑到一起的时机。

⑨所多所少：此指对自己的相应决策进行损益。

⑩转化：谓转变以从化也。

⑪世无常贵：世上没有能保持永久富贵的人。此句包含了深刻的辩证观点。

⑫常与：衡定参与。

⑬成于事：对事情有成效、能成功的计谋。合于计谋：指与自己谋划暗合。

⑭与之为主：做它的主人。此指吸收别人决策中的合理因素。

⑮不两忠：不能两方面都效忠。

⑯反忤：合与背。反，同返。

译文

大凡凑上前去迎合人，或者转过身来离开他，都必须有适合当时现实情况的妙计。事物的发展变化，既像圆环一样循环连接，又在每一发展阶段上有自己的具体情况和变换方式。作为纵横策士来说，应该反复探求事物的连续性和独立性，抓住不同事物的特点，依据不同的事实情况制定不同的决策，寻求最佳的方案。所以，圣智之人在天地之间立身处世，治理世事，教化百姓，扩大影响，传扬名声，必定依据事物聚散的不同时机，抓准最适宜的天时，并依据它们的损益变化来修改自己的决策，依据它们发展的变化来调整自己的策略方针。世上没有永远显贵的事物，没有永恒的师长和榜样，做事也并非必定要效法某某，世上一切事物都在发展变化着。圣人也不是每件具体事情都参与，但又可以说没有一件事不参与，因为他为人们制定了解决问题的基本模式；圣人看上去对什么事情都不打听，但又什么事情都明了，因为他掌握了世间事物的基本规律。我们明白了世间事物的变化原理和圣人的做法，因而对于那些可成大事而且与我们决策相合的君主，就可以代他主持国家大计。凡是计谋，不可能同时忠于两个对立的君主，合乎这一方的意愿，就要违背另一方的意愿；违背另一方的意愿，才能合乎这一方的意愿。这就是反忤之术。

原文

（二）

用之于天下，必量天下而与[1]之；用之于国，必量国而与之；用之于家，必量家而与之；用之于身[2]，必量身材能气势而与之。大小[3]进退，其用一[4]也。必先谋虑[5]计定，而后行之以飞箝之术。古之善背向者[6]，乃协[7]四海，包[8]诸侯，忤合之[9]地而化转之，然后求合[10]。故伊尹[11]五就汤，五就桀[12]，而不能有所明，然后合于汤；吕尚[13]三就文王，三入殷[14]，而不能有所明，然后合于文王。此知天命之箝[15]，故归之不疑也。

注释

①与：施予，实施。

②身：个人。

③大小：指上述天下、国、家、个人。

④一：基本规律一样。

⑤谋虑：谋划，思虑。

⑥背向：即忤合。背，背离，即忤。向，趋向，即合。

⑦协：合同。

⑧包：包举。

⑨忤合之：对他们使用忤合术。

⑩求合：用忤合术等。

⑪伊尹：商初名相，名挚。汤：商朝开国君主。

⑫桀：夏末暴君，名履癸。

⑬吕尚：姜齐始祖。钓于渭水，遇文王，相语，文王大悦，拜为军师。是周代开国勋臣。文王：姓姬名昌，周武王父，为武王灭商奠定了基础。

⑭入殷：指入于殷纣王。

⑮天命之箝：天命所归。古人认为朝代兴衰是天意，天意归谁，谁便兴盛。

译文

如果把反忤之术应用于天下，必定衡量天下情况制定实施措施；如果把反忤之术应用到一个诸侯国，必定依据诸侯国的情况来制定实施措施；如果把反忤之术应用到大夫封地，必定衡量封地内的实际情况来制定实施措施；如果把反忤之术应用到一个人身上，必定衡量这个人的才智、能力、气度来制定实施措施。无论范围大小，不论有进攻之计还是退却之策，反忤术的应用都有一定的基本规律。必定先做好周密考虑，先制定好实施措施，再用飞箝术来作为补充手段。古代善于实施忤合之术的人，能够驾驭着四海之内的各家势力，控制包容各家诸侯，对他们实施忤合之术，并且依据实际情况的变化来改换实施措施，然后用此术来求得合于明主。所以，伊尹曾经五次归附商汤、五次归附夏桀以探天命所归，最终才决心臣服商汤王；吕尚曾三次依附周文王、三次依附殷纣王探天命所归，最终臣服于周文王而拜为军师。他们最终都能认识到天命所归的明主，所以毫不犹豫地归附他们。

原文

（三）

非至圣达奥[①]，不能御世；非劳心苦思，不能原[②]事；不悉心[③]见情，不能成名；材质不惠[④]，不能用兵；忠实无[⑤]真，不能知人。故忤合之道，己必自度材能知睿，量长短远近孰[⑥]不如。乃可以进，乃可以退，乃可以纵，乃可以横。

注释

①达奥：穷达隐曲事理。奥，隐奥。

②原：追溯，考镜渊源。

③悉心：用上全部精力。

④惠：读为慧，古字通。慧，聪颖。

⑤无：通务。务，务必。

⑥孰：谁。

【译文】

作为一个纵横家，如果不具备圣人那样高尚的品德，以及超人的智慧，不能通晓事物深层的奥妙，就不能立身处世、治理天下。如果不能费尽心神地去思索，就不能究察事物本原。不能用尽心力去考察事物真情，就不能成就名业。如果个人才能气质不佳，颖悟聪慧不够，就不能筹划军事谋略。如果一味忠诚真心对人，就不能真正了解别人。所以，实施忤合之术，自己一定要估计一下自己的才能智慧，衡量一下自己的长处和短处，看哪些方面别人不如自己，然后度量他人的优劣长短，分析在远近范围内有哪些有志之士，自己还有哪些地方不如别人。只有做到知己知彼，才能达到随心所欲，既可以进攻，也可以退守，既可以合纵，又可以连横，这样，才可以从事纵横捭阖的政治角逐。

【为人处世】

择主而事——章邯择明主成大事

莲花有生长的本能，污泥也有继续作为污泥的惰性。如果莲花不能在原来的环境中继续生存，如果塘水太龌龊，致使莲花受到戕害，那么，就要考虑保全高贵的东西，将那莲花及时移栽。有道是：良禽择木而栖，贤臣择主而侍。判断形势对于每个人来说，都很重要。

章邯是秦朝的大将，对朝廷忠心耿耿，屡建大功。

陈胜、吴广起义后，章邯受命讨伐。由于军力不足，章邯便把刑徒和官奴也组织起来，在他的调教下，这支拼凑起来的队伍也颇有战斗力。

章邯性情直率，不喜谄媚，他对当时掌控了朝政的权臣赵高也不逢迎，惹得赵高十分恼怒。赵高为了报复章邯，竟对章邯的大功视而不见，更无封赏之意。

项羽崛起后，章邯和他交手多有败绩，他为此向朝廷频频告急，不想赵高为置其于死地，不仅不派兵援助，还把他的告急文书一律扣压，从不向秦二世禀报。

章邯连连失败的消息，终于让秦二世知道了。秦二世身边的太监对秦二世说："章将军勇冠三军，若他有失，秦国就危险了，陛下将怎样对待他呢？"

秦二世怒不可遏："章邯深负皇恩，罪该万死，他还想活命吗？"

太监摇头说："章将军如今已是败军之将，必心多惶恐，斗志有失。陛下既依靠他杀敌保国，就不能任性责罚他了，否则他惧祸投敌，陛下岂不更加危险？陛下若能忍下气来，略作抚恤，章邯不见陛下怪罪，他定能定下心神，再为秦国建功。"

秦二世于是再找赵高议论此事，赵高故作惊讶地说："章邯此人自高自大，向来不把朝廷放在眼里，这样的人不加责罚，哪能显出陛下的天威呢？"

秦二世又要下诏指责章邯，有的大臣上奏说："时下乃国家多事之秋，章邯实在是不可多得之良将，这个时候不求全责备，对谁都有好处。一旦诏书降下，万一章邯投敌，陛下岂不是得不偿失？"

赵高在旁阴声道："皇上赏功罚罪，理所应该，章邯若心怀异志，正好可将他除去。他若为忠，又怎会因皇上责罚而叛敌呢？"

秦二世于是下诏，对章邯大加指责，言辞甚厉。章邯接诏，又气又怕，一时六神无主。长史司马欣前去咸阳替他探听消息。他从别人口中知晓这其中的缘故，于是赶紧返回对章邯说："赵高对将军有心排斥，看来无论你有功无功，都不免遭他陷害了。"

章邯大吃一惊，情绪更加低落。

值此时刻，赵将陈余派人送书前来，劝他反叛秦国，信中说："白起、蒙恬都是秦国的大功臣，可他们的下场却是被赐死。将军为秦卖命奋战，到头来却为赵高陷害、昏君猜忌，其命运也就可想而知了。天意亡秦，如将军认清形势，反戈一击，不但免除灾祸，还有除暴济世之大名，何乐而不为呢？"

章邯见信落泪，久不作声，司马欣长叹一声，出语说："皇上不识奸佞，反责忠臣，这不是将军欲反，而是不得不反啊。”

于是，章邯向项羽投降，随项羽攻城略地，最后攻下咸阳，灭秦。后来，章邯被项羽封为雍王。识时务者为俊杰，章邯的反叛加速了秦朝的灭亡和一个新朝代的建立。择主依时而变，不但顺应天意，而且对己有利，这种两全其美的事，对于聪明的人来说是不难选择的。

“良禽择木而栖，贤臣择主而事。”如果遇到了昏庸的君主，纵使有经天纬地之才，也只能只是空怀盖世之志，有时会因盖世才情而丧命。做人要辨别是非曲直，做忠臣可以，但不要做愚忠之臣。遇到小人暗算而又无路可走时，最佳的办法便是弃暗投明，另择明主。俗话说水往低处流，人往高处走。弃暗投明，适当的时候炒掉你的主人，才能开启新的人生。禽择良木而栖，本身并没有错。

【管理谋略】

功成身退——张良远离是非地

汉代开国谋臣张良，并非体魁雄伟、英气非凡的人物，而是貌若妇人的文弱书生。他身居乱世，胸怀国破家亡的悲愤，投身于倥偬的兵戎生涯，为汉王朝的建立立下了不可磨灭的功劳。因此，历来史家无不倾墨书写他过人的才智，极口称赞他高超的权谋。北宋政治家王安石就用诗称颂张良一生亡秦立汉的卓越功勋。

俗话说，鸟尽弓藏，兔死狗烹。功高盖世之张良也曾面临着同样的悲剧命运，但是他却以超然世外的人生态度避免了这种悲剧的发生。其中的做人与处世之道，值得人用心揣摩。

西汉的张良是汉高祖刘邦的谋士，他智慧过人，屡出奇计，为西汉的建立立下了不朽的功劳。公元前201年，刘邦大封功臣。刘邦说：“运筹帷幄，决胜千里之外，这是子房的功劳。”请他自选齐地三万户，作为封邑。张良推辞不受，最后被封为留侯。

张良的谦逊，很多人颇为不解。刘邦的另一位谋士陈平就曾问张良："先生功高盖世，荣宠受之无愧，又何必拒绝呢？我们追随皇上，出生入死，今有幸得偿所愿，先生不该轻言舍弃。"

陈平见张良一笑不答，又说："先生足智多谋，非常人所能揣度，莫非先生别有筹划？"张良敛笑正容道："我家几世辅佐韩国，秦灭韩时，我幸存其身，得报大仇，我愿足矣。我凭三寸不烂之舌，做了帝王的辅佐，贵为列侯，我还有什么悔憾呢？我只求追随仙人遨游四方了。"

张良从此闭门不出，在家潜心修炼神仙之术。跟随张良多年的心腹一次忍不住问张良："富贵荣华，这是人人都不愿放弃的，大人何以功成之时，一概不求呢？大人也曾是义气中人，这样销声匿迹，岂不太可惜了吗？请大人三思。"

张良叹息一声说："正因如此，我才有如此抉择啊。"

张良的心腹闻言一怔，茫然不语，张良低声说："我年轻时，散尽家财，行刺秦王，追随沛公，唯恐义不倾尽，智有所穷，方有今日的虚名。时下大局已定，天下太平，谋略当是无用之物了，我还能彰显其能吗？谋有其时，智有其废，进退应时，方为智者啊。"

张良和外人从不袒露心声，好友探望他，他从不议论时事。一次，群臣因刘邦要废掉太子刘盈之事找他相商，他枯坐良久，最后只轻声说："皇上有此意愿，定有其道理，做臣子的怎能妄加评议呢？我对太子素来敬重，只恨我人微言轻，不能帮太子进言了。"

群臣苦劝，张良只是婉拒。群臣悻悻而去，张良的心腹对张良说："大人一口回绝，群臣皆有怨色，再说废立太子乃天下大事，大人怎忍置身事外，不闻不问呢？"

张良道："皇上性情，我是深知的啊。此事千头万绪，关系甚大，纵使我有心插手，只怕也会惹来一身的麻烦。群臣怪我事小，皇上怪我事大，我又能怎么样呢？"

吕后派吕泽去强求张良，软硬兼施之下，张良无奈给他出了主意，让吕后请出商山四皓辅佐太子。刘邦一直崇敬这四个人，待见他们出山相助太子，大惊失色，自知太子羽翼已成，不得不放弃了废太子的念头。

吕后派人向张良致谢，张良却回绝说："这都是皇后的高见，与我何干呢？请转奏皇后，此事千万不要再提起了。"

吕后听了使者回报，感叹良久，她对自己的妹妹说："张良不居功是小，弃智绝俗才是大啊。我先前只知道他智谋超群，今日才知他是深不可测，非我等可以窥伺得了的。"

刘邦死后，吕后专权。张良对世事的变故一概不问，求见他的大臣他也一律不见。吕后见他潜心研学道家养生之术，便不以他为患，反而对他愈生钦敬，她派人对张良说："人的一生，十分短暂，应该及时享乐。听闻你为炼仙术，竟致绝食，何须如此？切不要自寻烦恼了。"

在吕后的一再催促下，张良这才勉强用饭。吕后对其他的大臣或杀或贬，却独对张良关爱有加。

《忤合第六》说："世无常贵，事无常师。圣人无常与，无不与；无所听，无不听。成于事而合于计谋，与之为主。"依据不同的事实状况做出不同的决定。这是聪明人的做法。其实，张良之所以选择功成身退、超然世外，是有根源的。他是一个知足常乐之人。开国之初他之所以辞封是因为他觉得自己在韩灭家败后沦为布衣，布衣得封万户、位列侯，他自己已经很是满足了。又看到汉朝政权日益巩固，国家大事有人筹划，自己"为韩报仇强秦"的政治目的和"封万户、位列侯"的个人目标亦已达到，一生的夙愿基本满足。知足常乐，不居功自傲，是张良能够安然隐退的心理基础。

又目睹彭越、韩信等有功之臣的悲惨结局，联想范蠡、文种兴越后的或逃或死，深悟"狡兔死，走狗烹；飞鸟尽，良弓藏；敌国破，谋臣亡"的历史游戏规则，惧怕既得利益的复失，更害怕韩信等人的命运落到自己身上，于是自请告退，摒弃人间万事，专心修道养精，崇信黄老之学，静居行气，欲轻身成仙。这样就彻底远离世事与是非，也就远离了猜忌与祸端。

总之，张良的弃智绝俗，是一种明哲保身的智慧，是一种为人处世的艺术，更是一种做人的境界，值得现实中那些执着于追名逐利的人们好好地思索与回味，欲望无尽头，我何时才能够享受清闲快乐的人生呢?

【商战博弈】

人海拾珠——合作就是找对人

现代社会，合作是成功的重要基石。找对人，什么都会变得简单，因为这样合作就不会有障碍。企业规范首先是人的规范，融捷能保持着良好的发展势头，也得益于这一点。

在当今的商业界，将吕向阳和王传福完全脱离开来并不是件容易的事，除了这两人是表兄弟外，更为重要的是，吕向阳是王传福的比亚迪公司第二大股东。正因如此，人们更习惯于将这两个人相提并论，或者是以一个整体来看待。

但吕向阳似乎并不喜欢这样的“拉郎配”。这个出身于农民家庭的企业家自从1993年组建融捷公司，直至现在成为横跨多个领域的融捷控股集团，吕向阳始终以鲜明的处世个性和投资理念影响着周围人的看法以及市场的一举一动。当然，不可否认，1995年吕向阳出资250万元和他从中国有色金属研究总院副主任任上下海的表弟王传福一起创立了比亚迪公司，是他商业投资当中浓墨重彩一笔。正是因为这次投资，吕向阳以经营传统产业为主的融捷公司逐渐过渡到以专业投资为主，以充电电池等高科技产业和房地产业为辅的新高度。

当人们津津乐道于“打仗亲兄弟”时，吕向阳给出了不同的答案:

“虽然是表兄弟，我也投资了比亚迪，但我看中的还是传福的秉性脾气，我相信由他统领比亚迪，肯定没有问题，如果换作别人，资金上我肯定会支持一下，但不会盘得这么大。”

事实上也是如此，比亚迪从做锂电池起家，发展到汽车行业的新贵，王传福的个人魅力与影响不可谓不深刻，而这也正是吕向阳投资产业极为看重的一点：选项目就是找对人。深受徽商传统影响的吕向阳认为，人的因素在企业的发展中起着决定性的作用。小企业会因为有杰出的人物而发展壮大，而大企业也因为领导者的堕落而销声匿迹。在他 16 岁进入中国人民银行安徽分行工作开始，他始终以这种“看人观”来结交朋友，这也为他日后的成功积淀了丰厚的人脉基础。

2002 年，中国的金融证券市场正酝酿着新一轮的发展高潮，使证券投资蕴藏着十分诱人的获利机会。这一时期，中国投资者，包括海外的金融大鳄纷纷抢滩金融市场，希望能在这一波的行情中获得高额回报。吕向阳也捕捉到了这一机会。与别的投资人选大公司，大项目的方式不同，吕向阳这一次依旧循着找项目就是找对人的理念，与新疆的一家证券公司频繁接触，最终敲定了合作事宜，融捷集团也由此全面进入了证券投资领域。

人们当然会很好奇：北京、上海有那么多经验丰富，闻名遐迩的国际化的证券公司，为什么吕向阳非要到那么远的地方去找合作伙伴？

“不要怕合作伙伴小，实力差，只要做起来了，就会带来意想不到的收获。找一个可以信任的人比找一家大公司更实际，人选对了，即使项目出了问题，也可以及时解决。然后坚持下去，就一定会成功。”

对于合作伙伴的要求实际上也体现出对于自身的定位，在吕向阳初涉房地产业时，他就对外宣布了自己的“三不”政策：不拖货款，不做烂楼，不吃独食。“我需要找值得信赖的人，而我也必须成为一个值得别人信赖的人，只有这样，别人才可以放下顾虑，全心全意和你合作。”

融捷集团与深圳国际机场联合开发的深圳美万嘉国际装饰材料城无疑是吕向阳这一商业投资信条的完美体现。这座装饰材料城是

深圳西部物流中心的重要组成部分，当时与吕向阳一起争夺合作机会的还有广东、福建众多的行家里手，但是深圳国际机场经过前期考察发现，这些企业的资金大多是短期融资而得，存在着较大的风险，而吕向阳却专门为此次合作准备了充裕的资金。这表明吕向阳是真心希望与深圳国际机场合作，来拓展自己的投资领域。

“深圳国际机场看到了我们的实力，这实力主要来自人的意识，我们也正是靠着这样的意识，创造了自己的品牌。国内很多企业把做人和做企业截然分开了，这样的企业是做不长久的。”

这句话在2003年，让越来越多的人在这个新时代的徽商身上发现了一种难能可贵的商业气质。按照吕向阳自己的话说，这倒也算不上什么气质，人和企业是一个整体，很多人做企业，在明白了1+1=2之后就放手了，他们不会去思考1+1为什么等于2。

以前的吕向阳事必躬亲，现在的吕向阳变得轻松了许多，这并不是他故意偷懒，也绝非外界传说的“英年早退”。吕向阳的轻松更多的来自整个企业对于自己理念的认同，事实上，在融捷集团最初的发展中，吕向阳放弃了能迅速盈利的项目，重要的原因是合作伙伴无法达到他的要求，这也让底下的员工有不少怨言，毕竟，从某种角度来说，这的确让企业的发展速度降低了许多。

“但是这么多年发展下来，融捷上下的认识基本上统一了，这让我轻松了不少，其实，在做与不做之间，很难抉择，那是一个很耗人的过程。能源、金融和房产都有这样的问题，但不管怎样，基本方向和原则是不会变的，要是变了，我就断送了融捷的前程。”

忤合之术“用之于身，必量身材气势而与之。”衡量这个人的才智、能力、气度制订实施方案。人是最宝贵的资源。选对人，是完美合作的基础。要有发现人才、识别人才的潜力和能力，才能让更多的人推着自己走向成功。

【职场之道】

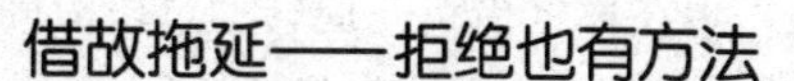

借故拖延——拒绝也有方法

所谓“忤合术”，讲的就是关于分合与向背的问题，是一种辩证处世的技术。在职场中，难免会出现“不合”，这就需要我们“反忤”，“背离”，学会拒绝。拒绝便是一种常见的“反忤”，一般人都不太好意思拒绝别人，但在很多情况下，我们为了避免多余的困扰，对一些不合理或不合自己心意的事有必要拒绝。但是，拒绝别人又容易伤害对方自尊心，这样就会造成不必要的麻烦。因此，实行“忤合术”，拒绝别人的请求时，应该三思而言。

当对方提出请求后，不必当场拒绝，你可以说：“让我再考虑一下，明天答复你。”这样，既使你赢得了考虑如何答复的时间，也会使对方认为你是很认真对待这个请求的。可见，拒绝也是一门学问。

一家汽车公司的销售主管在跟一个大买主谈生意时，这位买主突然要求看该汽车公司的成本分析数字，但这些数据是公司的绝密资料，是不能给外人看的。可如果不给这位大买主看，势必会影响两家和气，甚至会失掉这位大买主。这位销售主管并没有说“不，这不可能”之类的话，但他的话中婉转地说出了“不”。“这个……好吧，下次有机会我给你带来吧。”知趣的买主听过后便不会再来纠缠他了。

某位作家接到老朋友打来的电话，邀请他到某大学演讲，作家如此答复：“我非常高兴你能想到我，我将查看一下我的日程安排，我会回电话给你的。”这样，即使作家表示不能到场的话，他也就有了充裕时间去化解某些可能的内疚感，并使对方轻松、自在地接受。

陈涛夫妻俩下岗后，自谋职业，利用政府的优惠贷款开了一家日用品商店，两人起早摸黑把这个商店办得红红火火，收入颇丰，生活自然有了起色。陈涛的舅舅是个游手好闲的赌棍，经常把钱输在了麻将台子上，这段时间，手气不好又输了，他不服气，还想扳回本钱，又苦于没钱了，就把眼睛瞄准了外甥的店铺，打定了主意。一日，这位舅舅来到了店里对陈涛说：“我最近想买辆摩托车，手头尚缺五千块钱，想在你这借点儿周转，过段时间就还。”陈涛了解舅舅的嗜好，借给他钱，无疑是肉包子打狗。何况店里用钱也紧，就敷衍着说：“好！再过一段时间，等我有钱把银行到期的贷款支付了，就给你，银行的钱可是拖不起的。”这位舅舅听外甥这么说，没有办法，知趣地走了。

陈涛不说不借，也不说马上就借，而是说过一段时间，等支付银行贷款后再借。这话含多层意思：一是目前没有，现在不能借；二是我也不富有；三是过一段时间不是确指，到时借不借再说。舅舅听后已经很明白了，但他并不心生怨恨，因为陈涛并没有说不借给他，只是过一段时间再说而已。

可见，“忤合术”在职场和生活中随时都有用武之地。但是在“忤”的时候，应该学会点儿“花言巧语”，“忤之有理”，“拒之有理”。这样，处理事情时，就能巧妙地避免不必要的正面冲突，又能达到拒绝的效果，且不伤和气。

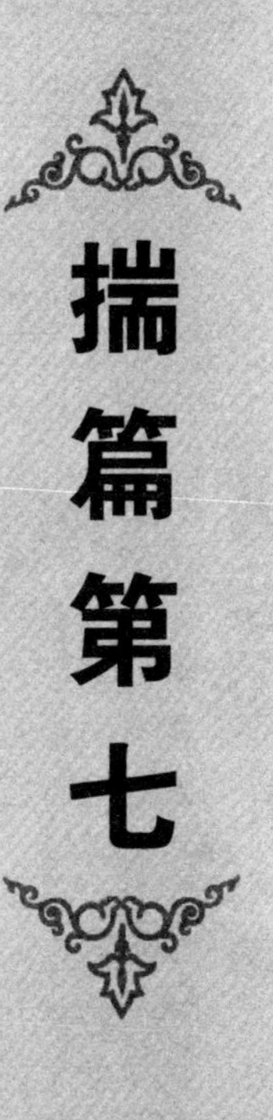

揣篇第七

经典再现

摘要

“揣术”讲的是“量权”和“揣情”，是游说的开始，本篇特指揣测人主之情，主要讲揣测人主之情的方法和意义。量权，强调要善于权量天下权势。即对一国的经济实力、兵员情况、地理位置、人才有无、国际联盟、民心背向等进调查研究。揣情，强调要揣摩诸侯的实情。即选择有利时机，通过观察、询问、试探等手段，掌握君主的打算、意向等。

《鬼谷子》认为：要掌握天下大事，必须善于“量天下之权而揣诸侯之情”，也就是要权量权势以计划国家大事，揣摩实情以游说列国君王。从而做出准确的判断，制定自己的计谋策略，最终达到自己的目的。

运用“揣术”，一定要善于观察，掌握对方的具体情况。“揣情”准确与否，直接关系到游说的成败。“故计国事者，则当审权量；说人主，则当审揣情”。可见，量权、揣情是谋略的根本，游说的法则。

原文

（一）

古之善用①天下者，必量②天下之权而揣诸侯之情。量权不审③，不知强弱轻重之称④；揣情不审，不知隐匿变化之动静⑤。

注释

①善用：善于使用。此指善于处理天下政治事件。

②量：衡量。权：此指政治情势变化。
③审：缜密谨慎。
④称：相当，相符。引申为与实际情况相符的信息。
⑤动静：此指动态信息。

【译文】

古时候，那些善于处理天下纠纷进而操纵天下局势的人，必定能准确地把握天下政治形势的变化，必定善于揣测诸侯国君主的心性意向。如果不能缜密细致地把握天下政治形势的变化，权衡利害，就不知道哪个诸侯国真正强大、哪个诸侯国确实弱小；就不能真正了解哪个诸侯国在国际外交中举足轻重，哪个诸侯国处在无所谓的位置。如果不能准确地把握诸侯国君的心性意向，就不能真正掌握那些隐秘微暗的信息和瞬息万变的世情。

【原文】

（二）

何谓量权？曰：度于大小[①]，谋于众寡[②]，称[③]货财有无之数，料[④]人民多少，饶乏有余不足几何[⑤]；辨地形之险易，孰利孰害；谋虑孰长孰短；揆[⑥]君臣之亲疏，孰贤孰不肖；与宾客[⑦]之智慧，孰少孰多；观天时之祸福，孰吉孰凶；诸侯之交[⑧]，孰用孰不用[⑨]；百姓之心，去就变化，孰安孰危，孰好孰憎，反侧[⑩]孰辩。能知此者，是谓量权。

【注释】

①大小：指国土。
②众寡：指国民。
③称：此指衡量。
④料：估算。人民多少：古时征兵按户出兵，人民多即兵员多，反之则少。
⑤饶乏……几何：指民众财力情况。
⑥揆（kuí）：推测揣度。
⑦宾客：此指门客。战国时期的政治家，争相养门客以备用。

⑧交：交际，引为联盟。

⑨用：可用，危难相济。

⑩反侧：反过来覆过去。此指民心背向。辩：通便。便，此指对哪方有利。

译文

怎样才叫权衡得失呢？就是说，要衡量国土的大小，要考虑国民的多少；要衡量国家经济实力强弱；要估算国民户数有多少，他们的财力、贫富情况怎样；要考察一国的山川地貌的险要与平易，利于自己固守还是利于敌方进攻；考察某个国家是否有真正的善谋之士；要推断某个国家中君臣关系怎样，君主是否英明，臣子是否贤能；要推断某个国家中客卿、门客中有多少智识之士；要观测天象运行的变化对哪方有利，对哪方有害；要考察诸侯间的结盟关系，是否真能危难相济；要考察民心向背，是否能笼络住民心，什么是百姓喜好的，什么是百姓厌恶的；民心的变化对谁有利，反叛是否会发生。在准确把握上述事态的发展变化之后，才能把握天下政治形势的变化。

原文

（三）

揣情者，必以其①甚喜之时，往而极②其欲也，其有欲也，不能隐其情；必以其甚惧之时，往而极其恶③也，其有恶也，不能隐其情，情欲必出其变④。感动⑤而不知其变者，乃且错⑥其人，勿与语而更问其所亲⑦，知其所安⑧。夫情变于内者，形见⑨于外。故常必以其见者，而知其隐者。此所以谓测深⑩揣情。

注释

①其：此指人主。

②极：尽，尽力使其欲望全部倾吐出。

③恶：厌恶、害怕之事。

④变：此指变态。

⑤感动：感情变动，即上述“甚喜”“甚惧”。

⑥错：放开。

⑦其所亲：他亲近的人。

⑧安：此指心意所在。

⑨见：现。见，现古今字。

⑩测深：探测内心深处。

译文

所谓揣度情理，必定要选择人主极端高兴、喜悦的时候，这时前去游说，要想办法施加影响使他的情感达到极点，极力引导他尽情吐露自己的欲望。在他吐露欲望的时候，情绪极高，我们就能探测到他的真情。或者选择在人主十分怀疑、戒惧的时候，前去游说，极力引导他倾吐出厌恶、害怕之事。在他倾吐这些真心话的时候，我们就能探测到他的真实情怀。真心情意必定是在他的情感发生极端变化的时候不自觉地表现出来。若碰到那种在情感发生极端变化时也不表露真情的人，就暂且丢开正事不与他深谈，而另外去询问他所亲近的人，了解他的意图所在，可以知道他安身立命不露神色的依据。一般说来，内心感情发生剧烈变化，一般是会通过人的外在形貌表现出来的。所以，通常情况下，我们都是依据对方外在举止行貌的变化去揣测他内在隐藏的真情实意，这就叫作探测人的内心深处而揣度人的情意。

原文

（四）

故计[1]国事者，则当审权量；说人主，则当审揣情；谋虑[2]情欲必出于此。乃可贵，乃可贱；乃可重，乃可轻；乃可利，乃可害；乃可成，乃可败。其数[3]一也。故虽有先王之道[4]，圣智之谋，非揣情，隐匿无可索[5]之。此谋之大本[6]也，而说之法也。常有事[7]于人，人莫能先[8]，先事而生[9]，此最难为。故曰揣情最难守司[10]，言必时[11]有谋虑。故观蜎[12]飞蠕动，无不有利害，可以生事[13]。变生事者，几之势[14]也。此揣情饰言[15]成文章[16]，而后论之也。

注释

①计：合计，筹划。

②谋虑：计谋打算。

③数：方法，对策。

④先王之道：古代贤王的治理经验。

⑤索：寻求。

⑥本：根本。

⑦有事：指策划、实施行动。

⑧先：指先于自己的策划和行动而察觉。

⑨生：指预测揣情，获得信息。

⑩守司：把握。

⑪时：窥伺，暗中审察。

⑫蜎（yuān）飞蠕动：蚊子飞行，虫子爬动。蜎，孑孓，此指蚊子。蠕，绦虫、蛔虫等动物。

⑬生事：发生事端。此指有目的的行动。

⑭几之势：事端刚起时的形势。几，几微，引申为事物初起。

⑮饰言：修饰言辞。

⑯文章：文采。此指言辞富于条理，有煽动性。

【译文】

所以说，那些筹措国家大事、进行政治斗争的人应当审察形势，掌握信息，而那些游说人主的人则应当注重全面、详尽的揣度人主的心意欲望，了解人主的心性品行。可以说，决策措施的筹划也好，人主真情的探测也好，都是出于这种揣情术，以此为出发点。掌握了这种技术，就可以富贵，可以取高位，可以获利益，可以得成功；不能掌握这种技术，就可能贫贱，可能不被重用，可能受祸害，可能失败。其关键所在，就看能否掌握这种揣情术。因此说，即使有古代贤王的治世经验，有圣智之士的周密策划，如果没有揣情之术，便不能真正懂得这些经验的奥秘，就不能有效地实施这些策划。由此可见，揣情术真是策划事物的基本条件，是游说的法宝啊！常常是这样，就要在某个人身上发生重大变故了，但这个人并不能预先测知。在事情发生前便能测知将要发生的事件进程，这是最难做到的。所以说，揣情术的精髓是最难把握的，我们必须学会从对方的言辞中窥探他的决策和策略。你看那蚊子的飞动和虫子的蠕动，无一不是为利害所驱使，无一不是趋利避害的有目的的行为。能在变化中掌主动权的人，都善于掌握事物初起时的形势而拨动之。这就要求我们掌握揣情术，善于修饰言辞，使说辞有条理、有煽动性，而后再采取有目的的行动，达到我们的政治目的。

不看表面——知人知面要知心

俗话说，“人心隔肚皮”，知人知面未必就能知心，而知心才是最重要的。一个人被陌生人捅了一刀那叫皮肉伤，而要是被最亲密的朋友捅了一刀，就犹如万箭穿心，那才叫伤心。

人是形形色色的，有刚直的人，有卑鄙的人，有勇悍的人，有懦弱的人，有豪侠的人，有小心眼的人，有木讷的人，有果断的人，有清逸的人，有庸俗的人，有持重的人，有诚实的人，有狡诈的人……面对形形色色的人，你只有用“心”审视他，详察他，明辨他，而后慎用他，才能在人际交往中始终立于不败之地。

假如，和我们交往的是位品德高尚、见义勇为、助人为乐的人，那么，即使其外表并不英俊潇洒，我们也会与之和谐相处。但假如我们所见到的是一个虚伪而自私的人，尽管此人仪表堂堂，举止文雅，我们只会觉得他道貌岸然、虚伪狡猾。

唐玄宗时，由李适之和李林甫两位宰相共同辅政，李适之为左相，李林甫为右相。李林甫一直在寻求机会扳倒李适之，以便独揽大权。

当时，唐玄宗沉湎酒色，穷奢极欲，弄得国库日渐空虚。满朝文武都很着急，日夜思谋开源节流之计。最后，皇上也感觉到了财政危机，下诏让两位宰相想办法。形势所迫，二人都很着急。但李林甫最关心的却是如何斗倒政敌，看着李适之像热锅上的蚂蚁，李林甫生出一条毒计来。

散朝之后，李林甫趁机跟李适之闲扯，说着说着，他装作无意中说出华山藏金的消息。他看到李适之眼睛一亮，知道目的已经达到了，便岔开话题说别的。

李适之性情疏率，一心想着国事，没有看出李林甫的诡计。忙不迭回家，洗手磨墨写起奏章来，陈述了一番开采华山金矿，以应国库急用的主张。

唐玄宗一见奏章大喜，忙召李林甫来商议定夺。李林甫看了奏章，装出欲言又止的样子。

玄宗见他吞吞吐吐，就催道："有话快讲！"

李林甫压低了声音装作神秘地说："华山有金，众所周知。只是这华山是皇家龙脉所在，一旦开矿破了风水，国祚难测，后果可想而知""噢，"玄宗听罢一激灵，"是这样。"继而点头沉思。

那时，风水之说正盛行，认为风水龙脉可泽及子孙，保佑国运。今听得李适之出了这样的馊主意，玄宗刚才的高兴顿时烟消云散。李林甫见有机可乘，忙说："听人讲，李适之常在背后议论皇上的生活末节，颇有微词，说不定，这个开矿破风水的主意是他有意……""别说了！"玄宗心烦意乱，拂袖到后宫去了。李林甫见目的达到，心中暗喜，点着头走了。

自此，玄宗见了李适之就觉得不顺眼，总是找机会给他难堪，最后干脆找了个过错，把他革职了。朝廷实权，便落在了李林甫手中。

李林甫是典型的"口蜜腹剑"之人，对这种人一定要多长心眼，提防着点儿。李适之显然知道他与李林甫之间的利害冲突，但他就是性情疏率，才会轻信了李林甫的话，结果被革职了还不知道是为什么。

由此可见，人的本质平时一般都隐藏着，看不见又摸不着。只有眼观六路，多一个心眼，善于揣度人心。才能既看到别人的正面，又看到别人的反面，才能真正了解别人的心，吃透别人的本意。

希腊有句古话，"很多显得像朋友的人其实不是朋友，而很多是朋友的倒并不显得像朋友"，一句话道出了人心叵测的关键。很多人在危难的时候才发现，背叛自己、出卖自己的往往是十分信赖的朋友，而曾被怀疑的人却成了自己的救星，真是可笑又可悲。世上有很多人心口不一、表里不同，要看出来真的很难，学会揣摩人心，用"心眼"去看，才能看得清清楚楚，免受祸害。

【管理谋略】

慢事急做——汉高祖白登山之围

公元前202年，刘邦战胜了项羽，统一了全国，随即称帝。与此同时，活跃在北方蒙古高原一带的匈奴，在经受了秦王朝的打击后，利用中原的战乱，实力得以恢复，成为这个新兴王朝的最大威胁。

刘邦为了抵御北方匈奴的侵袭，特意将韩王信由河南禹州市一带转封到今天太原一带，都城就在晋阳（今太原南）。但是出乎刘邦和韩王信的预料，当时的匈奴以汉朝举国之力也未必能战而胜之，何况一个诸侯国。韩王信与匈奴交战，败多胜少，到这年秋天，王都马邑也被围困，只得多次派使者与匈奴求和。对异姓诸侯王本就猜疑的刘邦得知后，认为韩王信有“二心”，随即“使人责让信”。韩王信非常惊恐，他担心刘邦会治罪于他，索性就投降了匈奴。

韩王信的背弃是基于自保的深层动机，他知道刘邦多疑之秉性，担心长此以往可能要掉脑袋。与其战战兢兢地冒着生命危险给刘邦卖命，还不如反戈一击，攻打自己潜在的对手，如果一旦胜利，自己就可以除掉心腹大患，高枕无忧了。况且，当时的情形下，新的雇主匈奴那边的军事实力明显地强于汉朝这边，所以韩王信的打算也是一种很现实、很精明的考虑。

在这种情形下，公元前200年，刘邦御驾亲征前去平叛韩王信的叛乱。大军从长安出发，不久大败韩王信主力，斩杀了其大将王喜，韩王信远逃到匈奴，与匈奴兵联合，准备会战。冒顿单于派一万多骑兵逼近晋阳与汉兵交战，被汉军击败，逃至离石，又被击败。匈奴且败且走，收拢败军在楼烦（今宁武），而汉兵又鼓余威败之。

当时，刘邦正驻扎在晋阳，汉军连连得胜，他不免对匈奴起了轻视之心，又听说冒顿单于正驻扎在代谷（今桑干河谷），就要亲自带人去追击，想就算不能“毕其功于一役”，彻底消弭边患，至少也可以像秦将蒙恬击败匈奴一样，使胡人“不敢南下牧马”。

为了万无一失，刘邦派了十数人前去打探，使者回来报告说，一路上见到的匈奴人，都是老弱病残，连马牛等畜生，也羸弱得像好多天没吃过草或者刚刚经历了一场瘟疫，据此看来，这仗打得。虽然这样，刘邦还是不敢轻进，又派了娄敬去打探。娄敬回来说看到的情况与前面一样，但其中恐怕有诈，因为两国交战，都要把最强的一面展示给敌人看，以使敌人有畏惧之心，现在我们所见到的匈奴的情况，好像不堪一击，这很有可能是敌人意欲诱敌深入，然后埋伏奇兵、以逸待劳，打我们个措手不及，这仗打不得。

然而，汉军大部人马已经开拔，越过了句注山，箭在弦上不得不发。况且骄傲的刘邦已经听不进去这番话，骂娄敬不过是个以口舌之利得官的“齐虏”，在大军即将战斗时说这样灭自家威风，长别人志气的话，分明是要扰乱军心。他立即将娄敬捆了押到广武等打败了匈奴回来再收拾他。

刘邦一路追击，匈奴不住撤退。为了加快追击速度，刘邦亲自率领的两三万骑兵突进，而约三十万的大部队步兵，渐渐被甩在身后。一路上倒也顺利，但等过了平城（今大同），抢占了高地白登山后，却发现匈奴的精骑四十万已经将白登山团团包围，让他大惊失色，想赶紧退却，却为时已晚。时值冬季，天降大雪，久在中原作战的刘邦部队根本没有在这种气候条件下作战的经验，加之军需补给供应不上，非战斗减员也十分严重，军卒“堕指者十之二三”。无奈之下，刘邦只得在白登山上，据险而守，等待援兵。

《鬼谷子》有言：“量权不审，不知强弱轻重之称；揣情不审，不知隐匿变化之动静。”慎重细致地掌握天下政治形势的变化，真正的了解外交形势的举足轻重，时局的把控才能更加精准。刘邦一生精明过人，“白登山之围”却暴露出其性格的缺陷和人性的弱点，他骄傲自大，不纳贤言。最初的接连胜利，使刘邦滋生了轻敌之心，这种心理使他很难听取别人的规劝，这就为他后来的中计奠定了心理基础；在刘邦骄傲自大的心态下，又亲眼看到了匈奴的老弱病残之兵，所以宁可相信自己的眼睛，也不想听娄敬之忠言，结果真的是兵不厌诈，被围困于白登山。

不论是过去还是现在，把握好形势的变化，全局也会掌握得更好。然而，人们总是宁可相信自己，而不轻易相信别人。兵不厌诈的关键就在于要让你轻信自己亲眼所见的东西，这样才可以引你上当受骗。所以越是在成败的关键时刻，越要谨慎，要牢记“眼见未必为实”这句话，提防他人借助“眼见为实”的惯常心理进行布局。那些隐秘微暗的信息和瞬息万变的世情，需要我们用心去捕捉，用心去把控。

【商战博弈】

揣情借势——宝德的“登天之道”

在商场上，依靠别人不是一件丢人的事情，我们就应该懂得“大树底下好乘凉”，借助他人的力量，为自己创造更多的价值。人生路上充满了艰辛坎坷，光靠一个人的努力有时难以面对，显得势单力薄。因此，善于找到一棵可以遮风避雨的“大树”，退可以守，有了坚实的靠山取得成功也就易如反掌。

要想找到自己的“大树”，就得有察言观色，揣度人心的本领。《揣篇第七》曰：“揣情者，必以其甚喜之时，往而极其欲也，其有欲也，不能隐其情。”意思是说；“揣情的人应该在对方高兴、喜悦的时候前去见他，极力引导、刺激对方的欲望，对方就会吐露出自己的真情实感。”这样，我们知道了对方的喜好，就能够投其所好，与对方建立良好的关系，进而提出自己的问题，寻求对方的帮助。老江正是运用“揣情术”为自己找到了一棵“大树”。

老江创业多年，命运似乎总是在跟他开玩笑，辛苦奔波却收获甚微。一次，他所在的城市要进行基础设施建设改造，他感到这是个机会，可是同一个城市里符合要求的公司多达十几家，怎样才能获得这个机会呢？他绞尽脑汁，针对专门管理此工程的负责人，想出了一个好点子。

该负责人有个习惯，每逢周末都要到郊区的鱼塘钓鱼。于是老江探明地点，也带上渔具，跑到该鱼塘。他先在旁边看着负责人垂钓，每当负责人钓上鱼的时候，老江都表现得很羡慕。负责人自然就觉得很得意，看见老江带着渔具却没钓鱼，便好奇地询问。老江装作不会钓鱼，借机请教。负责人一下觉得遇到知音，便告诉老江一些钓鱼的窍门。两人越聊越投机，不知不觉就谈到了各自的职业，老江一副很委屈的样子，说着自己的行业竞争的激烈，向负责人大吐苦水。等到负责人表露身份的时候，老江也就顺理成章地提出了要求。

最终，老江的公司拿到了工程招标，从此以后老江的事业上了一个新台阶，人生也进入了一个新的平台！由此可见，在一些关键的问题上，揣摩人心是多么重要。

揣情度意，对现代社会而言，这是十分重要且必要的。通常情况下，年轻人追求个性，习惯什么问题都靠自己，这是好事。可是，很多事情并不是只靠自己的能力就能完成的，能够借助他人的力量才能将事情做好的时候，我们就应该懂得借助他人的力量，为自己创造更多的价值。

实力不够，躲在别人的“房檐”下，才能更好地储存实力，获得发展，在这一点上宝德就做得很好。宝德早在 1993 年便开始做起了服务器的分销服务业务，在华南地区拥有很多技术服务人员和网络。6 年的辛勤耕耘，尽管也有成功的喜悦，但始终未能获得质的飞跃，直到李瑞杰看到了和英特尔合作的大好前程。

由于用户类型不同，用户的需求也不完全相同。有些用户对于价格非常敏感，有些用户迷恋最新技术，而有些用户需要稳定成熟的解决方案。这就要求厂商能够针对不同的用户提供不同的服务，这并不是一件容易的事情。宝德正是看到了英特尔在短时间不能满足众多客户的需求，便同英特尔协商合作之事。英特尔正好需要宝德的支持，两家便联起手来。宝德在业界发展方向上与英特尔保持高度一致，英特尔推出真正的 IA（Inter Architec-ture 英特尔处理器）架构服务器，宝德就在市场上向“伪服务器”宣战；英特尔推出功能服务器，宝德就提供了各种商品化功能服务器产品；英特尔发布至强处理器，宝德就力争缩短步入主流服务器行列的时间。

李瑞杰坦言，宝德之所以有今天，离不开英特尔的支持。李瑞杰的聪明之处就在于，他在自己处于困境的时候，看懂了英特尔的心意，进而与英特尔合作，依靠英特尔这个巨人站了起来。

因此，一个没有足够实力的人，要想找一个强大的靠山，就应该自己揣摩对方的心思，寻求最佳的入口。与他达成了统一，便能借对方之力，获得更好的发展。

【职场之道】

衡权量势——菲莱邱知退稳进

我们经常提到看人说话，见机行事，其实说的就是要察言观色，揣情度势。“夫情变于内者，见形于外”。通过细致入微地观察，总是能够猜测到对方的一些真情实意，在权衡了双方立场和态度之后，是进是退，我们就能做出恰当的判断。进可攻，退可守，退一步也能海阔天空。

当罗斯福继麦金莱而就任美国总统之后，他的老友菲莱邱到华盛顿拜谒他。而后菲莱邱自述他到总统的府邸谒见罗斯福的情形：“我那位老友站着向我微笑，把手搭在我肩上，说：‘你需要什么？’当他问我此话时，哈哈大笑起来。但是，我觉得他这一笑是为了掩饰一些厌恶。或许我不是唯一急于加入政治生涯的人，因此，我也笑着表示，我并不需要什么。而他显然就此宽心多了，说道：‘怎么可能！你是这班人中唯一的人才，其他人不是做官升职，就是入了监狱。’当时我认为，我到此拜谒已令他十分高兴了。虽然我知道我时刻都可获得一个好差事，但是，我认为假如我能无求于他就告辞了，那么，我与罗斯福的交情将会更进一层。所以，我就此告退了，带着一本西班牙文的自修字典，回到家中开始准备外交的职务。

大约于一年之后，我从报纸上看到一则要派遣一位美国的第一公使前往哈瓦那的公告。这是一个非常有利的机会，我一向对古巴颇为熟悉，而且我一直在研读西班牙文，我认为我早已非常熟悉那个地方了，其余的事情就更容易，我只需再到华盛顿，把我的衷心希望及以往的研究告诉罗斯福即可。果然我的目的达到了。”

这就是菲莱邱之所以能出任古巴公使，继而得以展开他历久且光辉的外交事业之故。也是他用以毛遂自荐的另一种方式。当初，他感到罗斯福的心中隐约藏有一份莫名的反感，于是，立即伺机引退，以等待另一个时机。这就是他于日后自我推荐得以成功的妙策。而他只带着一本西班牙文的字典回去自修，准备外交上的事务，也就是他顺利地担任古巴公使的基础。

菲莱邱说：“我不愿意做别人也想做的事情，但是，我常参照别人的方法去完成我想做的事情。”这句看似口是心非的话，正说明了菲莱邱的高明之处。他并不是不想做别人想做的事，而是用了跟别人不同的方法来做事。他走的是迂回路线，参照别人，也就是为了从侧面揣度领导的心思，这种旁敲侧击的方法才是他成功的诀窍。

善于揣摩领导心意的人就会发现：领导人物的最终目的，是在于引发他人自愿地臣服于他们，以达到合作愉快的境界。当然，双方所引起的偶尔反感，均可能造成不悦的摩擦。但是，领导都会了解这点，假若作为下属的你执意地抗议，即使一时胜利了，而所得的成就仍是极为微薄。

想要取得领导的认同和支持，最好的方法，就要懂得跟着领导的思路走，站在领导的立场，为领导着想。

在这个世界上，任何一件事情都是相辅才能相成的，所以就要思考，要揣测。学会推己及人，学学菲莱邱的以退待机，找到最佳时机获得领导的支持，一切事情就有可能在良性循环的轨道上顺利进行。

摩篇第八

经典再现

摘要

《鬼谷子》说："摩者，揣之术也。内符者，揣之主也。"可见，"摩"篇是"揣"篇的发展和延伸，"摩"篇可以说是"揣"篇的姊妹篇。"摩"，即琢磨，讲摩触的方法。即在揣摩的基础上，进一步对对方进行接触、揣测。

《鬼谷子》认为：善于摩意的人就像渔翁一样不动声色，"操钩而临深渊，饵而投之，必得鱼焉"。强调谋划要周密，沟通的方法要得当，将游说法则与时机紧密结合。"摩"的目的就是"成事"，还要在隐秘中进行。即"谋之于阴"而"成之于阳"。

"摩"的行为方式是有规律的。高明的"摩"者，善于独立思考，能够从外在信息辩察对象的内心欲求，把握对象的内心，从而游说他，设谋使之对我方言听计从。物以类聚，人以群分，按照一定的规律，不断延伸与变化，将心比心，将事比事。摩在于自己，符在于对方，任凭而用之，一切事情便明了于心。

原文

（一）

摩者，揣之术也。内符[①]者，揣之主[②]也。用之有道[③]，其道必隐[④]。微[⑤]摩之，以其所欲，测而探之，内符必应。其所应也，必有为之[⑥]。故微而去之，是谓塞窌[⑦]匿端，隐貌逃情，而人不知，故能成其事而无患[⑧]。摩之在此，符应[⑨]在彼，从而用之，事无不可。古之善摩者[⑩]，如操钩而临深渊，饵[⑪]而投之，必得鱼焉。故曰主事[⑫]日成而人不知，主兵日胜而人不畏也。圣人谋之于阴[13]，故曰神[14]；成之于阳[15]，故曰明[16]。所谓主事日成者，积德[17]也；而民安之不知其所以利；积善[18]也，民道之[19]，不知其所以然，而天下比之神明也。主兵日胜者，常战于不争[20]不费[21]，而民不知所以服，不知所以畏，而天下比之神明。

【注释】

①内符：符于内，即某些外在事物现象必有决策者的内在心理原因。

②主：主旨。

③道：此指基本规律，一定的准则。

④隐：隐暗，暗中行事。

⑤微：微暗，暗地里。

⑥为之：此指表面行为。

⑦塞窌（jiào）匿端：堵起洞口，藏起事头。此指把自己摩意的手法和目的隐藏起来，琢磨透了别人还不让别人察觉。窌，方形地窖。

⑧患：祸害。

⑨符应：符合响应。此指由于我们的摩意而发觉的对方相应的外在表现。

⑩古之善摩者：古代那些擅长使用摩意术的人。

⑪饵：把鱼饵别在鱼钩上。

⑫主事：此指主持国家经济、政治大事。

⑬阴：暗中，背地里。

⑭神：神妙。

⑮阳：公开。

⑯明：事情办成。

⑰积德：积累德行。此指对民众有好处的德政措施一个接一个。

⑱积善：积累善事。此指“战于不争”，消弭战祸。

⑲道之：顺着这条路走。

⑳战于不争：即用计谋权术消弭战祸。

㉑不费：指不用战争开支。

【译文】

所谓“摩”，是与揣情紧密相连的一种预测术。寻绎、琢磨那些外在表象的内在心理原因，是揣情的主要目的。摩意术在使用时要遵循一条基本原则，就是必须在秘密中进行，不被人察觉。暗地里对人实施摩意术，顺从着对方的欲望去探测他的内心世界，适当的揣测、体会，导致某些表象的内在心理因素必会表露出来，为我们所掌握。他的这种表露，必然有外在的表象行为。这就是“摩意”的作用了。我们掌握了外在信息和内在心理之后，就要藏起这种摩意术，把自己隐藏起来，消除痕迹，伪装外表，回避实情，以免被对方察觉，这就是所谓的堵起洞口，藏起事头。人们不知道我们对他实施摩意术并且已经从外到内都掌握了他，故对我们无所戒备，我们就可以在毫无阻力的情况下达到目的而且不留后遗症。这样，办成了事情，却不会留下祸患。我们在这里对他实施摩意术，他在那里必然有所反应而被我们掌握心意欲望等内在心理因素。我们把察得的这些信息运用到决策中，使用到行动中，所以就没有办不成的事情。古代那些擅长使用摩意术的人，就像渔翁拿着钓竿到深渊边去，钓上鱼饵投下钓钩，无须声张，悄然等待，必然钓上鱼来一样，定能把握对方。所以说，掌握了摩意术而主持国家政治、经济大事，就会一天比一天取得更大的成效而不被人察觉；主持国家军事大事，就会一天比一天取得更大的胜利而不被人发觉故而不畏惧我们。圣智之人谋划决策什么行动，总是在隐秘之中进行的，像神道般玄妙，所以称作“神”；成事在明处，昭然若揭，都显现在光天化日之下，所以叫作“明”。所谓主持政治、经济大事一天比一天取得成效，就是积累德政，让人民安于德政环境中，习以为常而不知为什么获取了利益和好处；所谓主持军事大事一天比一天取得胜利，就是积累善行，而人民便顺从我们造就的这条道路天天走下去，却并不知道长久处在这种和平安定环境中的原因。因此，普天之下的人们都把这样的圣智之士称作“神明”。所谓主持军事大事一天比一天取得胜利，是说经常把战争消灭在未萌芽状态，使国家不用花费战争开支，使人民不知不觉地倾服、不知不觉地畏惧还不知道为什么顺服、为什么畏惧，因此，普天下人就把使用摩意术的圣智之士称作“神明”。

原文

（二）

其摩者，有以平①，有以正，有以喜，有以怒，有以名，有以行，有以廉，有以信，有以利，有以卑②。平者，静③也；正者，宜④也；喜者，悦⑤也；怒者，动⑥也；名者，发⑦也；行者，成也。廉者，洁⑧也；信者，期⑨也；利者，求⑩也；卑者，谄⑪也。故圣人所以独用者，众人皆有之[12]。然无成功者，其用之非[13]也。故谋莫难于周密，说莫难于悉听[14]，事莫难于必成。此三者，唯圣人然后能任之。故谋必欲周密，必择其所与通者[15]说也，故曰或结而无隙[16]也。夫事成必合于数[17]，故曰道数与时[18]相偶者也。说者听[19]必合于情，故曰情合者听。故物归类[20]，抱薪趋[21]火，燥者先燃[22]；平地注水，湿者先濡[23]。此物类相应[24]，于势[25]譬犹是也。此言内符之应外摩也如是。故曰摩之以其类焉[26]，有不相应者乃摩之以其欲焉；有不听者，故曰独行之道[27]。夫几[28]者不晚，成而不拘[29]，久而化成。

注释

①平：平和。此指用平和态度对待摩意者。

②卑：卑下。此指用卑下谄媚的态度对待摩意者。

③静：此指以静为特征。

④宜：适宜，相宜。此指中正平和。

⑤悦：喜悦。此指沾沾自喜。

⑥动：动怒。

⑦发：扬，张扬。

⑧洁：洁身自好。

⑨期：与人相约。此指承诺必行。

⑩求：贪求。

⑪谄：谄谀。

⑫故圣人……有之：意谓圣智之士使用的手法，都是取之于众人，从众人身上总结出来的。

⑬用之非：用之非其道，没用到关键处。

⑭悉听：全听。此指全被接受。

⑮通者：相通的人。此指感情相通、智谋层次相近的人。

⑯结而无隙：此指二人合计的决策没有间隙。

⑰数：通术。术，此指权术。

⑱时：天时，时机。

⑲说听：让人听从你的游说。

⑳归类：以类相从。

㉑趋：小跑。此指扔向（火中）。

㉒燃：燃烧。

㉓濡：沾湿，浸湿。

㉔物类相应：同类事、物互相应和。

㉕势：形势，势态。此指摩意的局势。

㉖摩之以其类焉：此指用相同的感情，设身处地地去琢磨别人。

㉗独行之道：策士们独自掌握的秘术。即上所言“圣人所独用”者。

㉘几：时机。几，机古今字。此指善于掌握时机。

㉙拘：拘持：此指居功为已有。

【译文】

在实施“摩意”时，有的用平和的态度对待我们，有的用正直的态度对待我们，有的表现出喜悦之色，有的勃然大怒，有的让我们觉得他很重名声，有的让我们觉得他重视实行，有的让我们觉得他很廉正，有的让我们觉得他守信用，有的让我们察觉到他贪图利益，有的表现得卑下谦恭。应该明白，平和就是指宁静，平和的人做事外静而内深思。正直的人做事往往中正平和。喜悦的人，悦功易足，往往满足于现状。容易愤怒的人，性情火暴易动怒，做事多草率。重视名利的人，喜欢搞形式，以光大自己的名声。重视行为的人，埋头苦干，期于必成，往往忽视借用别人力量。廉正之人，洁身自好，做事时注重开脱自己。重信之人，一诺千金，做事多无诡诈。贪利之人，追求小利，易被收买。卑下小人，谄谀奸诈，做事反复无常。上述手法，都是圣智之士十分明了并暗中使用的手段，都是从众人身上吸取总结而来的，但众人运用这些手段却难以奏效，是因为他们不像圣人那样能用到点子上，该用什么手段就用什么手段。所以说，谋划策略，最难做到的是周密无隙，游说别人，最难做到的是让别人完全听从自己的意见，主持事情，最难做到的是一定要成功，不允许失败。这三种境界，只有那些掌握了摩意等权术的圣人们才能够达到。所以说，要使计谋周密，一定要选择那些智谋水准与自己相近的人一起谋划，这就叫作双方互补而做出了没有漏洞的决策，从而无懈可击；做事要想成功，必须有适当的方法，所以说只有客观规律、行动方法与时机三者相合而成事，相互依附，功业才能到达成功；游说时想要让别人完全听从你的意见，就要揣摩准别人的情意，这就叫作两情相合，而别人必定听从、采纳。世间万事万物都有各自的属性，故而人们常说，抱起柴草扔进火中，干的先被点燃；平地浇上水，湿的地方先把水吸引过去，这些现象就是各类相同的事物必有相同的性质相适应。对于情势，以此类推，其他事物也是一样的。我们运用摩意术时也是这样，想让别人的内心情意应和你的摩意而表现出来，你也要保持与他同样的感情和表情。所以说，用以类相从

的态度去摩意，哪有对方不应和的情况？顺从他的心意去琢磨他、游说他，哪有不听从的呢？这就是我们策士们的秘术。掌握了这种秘术，善抓时机，成事无所谓早晚。功成事就而不自持自喜，天长日久我们定能化育天下，实现自己的政治追求。

【为人处世】

欲速不达——苏无名稳坐钓大鱼

孔子曾说："欲速则不达。"就是告诉我们做事切不可急躁冒进，不要幻想立竿见影。急于求成、恨不能一日千里，这样往往事与愿违。耐心放线，稳坐等待，大鱼自会上钩。一个人只有摆脱了速成心理，"放长线，钓大鱼"一步步地积极努力，步步为营，才能达成自己的目的。

有一次，武则天赏赐给太平公主一件宝物，可是没几天，宝物就不翼而飞。这件事惊动了武则天，她认为有损自己的颜面，立即招来洛州长史，诏令他九日内破案。洛州长史束手无策，无计可施，只好派人找来神探苏无名，希望他能帮忙。苏无名听完后，要求面见圣上，称他自会破案，但他提了个要求，就是不能做时间上的限制。

武则天以为他是托词，又不想过于为难他，就应允了他的要求。苏无名奉旨接办御案之后，一点儿都不着急，没有一丝动静，一晃就是一个多月。洛阳长史不知道他葫芦里卖的什么药，不免担心起来。

一晃就到了一年一度的寒食节。这天，苏无名终于有了动静，他吩咐下去：所有破案人员全部改装为寻常百姓，分头前往洛州的东、北二门附近查案。无论哪一组，凡是遇见外族人身穿孝服，出门往北邙山哭丧的队伍，必须立即派人跟踪上，不得打草惊蛇，只需派人回衙报告即可。

这边苏无名刚刚坐定，就见一个游徼赶了回来。他告诉苏无名，已经侦得一伙人，此刻已在北邙山。苏无名听后，立即与来人赶往北邙山坟场。到达之后，苏无名询问盯梢的吏卒："他们进了坟场

之后表现如何？”

吏卒回报说：“一切如大人所料，这伙人身着孝服，来到一座新坟前奠祭，但他们的哭声没有哀恸之情，烧些纸钱之后，即环绕着新坟察看，看后似乎又相互对视而笑。”

苏无名听到这里，说道：“窃贼已破！”立即下令拘捕那批致哀的人，同时打开新坟，揭棺验看。检点对勘之后，证实这些正是太平公主一个月前所失的宝物。

苏无名一举侦破太平公主的失窃大案，震动了洛阳。武则天下旨再次召见苏无名，问他是如何断出此案的。苏无名应召进殿，答道：“臣下并没有什么特殊的神谋妙计，臣在来汇报工作的途中，曾在城郊邂逅了这批人。凭借臣下多年办案的经验，即断定他们是窃贼，只是一时还不知他们下葬埋藏的地点，只得放长线钓大鱼，耐心等待。寒食节一到，依民俗，人们是要到墓地祭扫的。我料定这批借下葬之名而掩埋赃物的盗贼，必定会趁这个机会出城取赃，然后借机席卷宝物逃走，因此臣下遣人便装跟踪，摸清他们埋下宝物的地点。他们奠祭时不见悲切之情，说明地下所葬不是死人；他们巡视新坟相视而笑，说明他们看到新坟未被人发觉，为宝物仍在坟中而高兴。”

苏无名继续说道：“假如此案依陛下九天之限，因风声太紧，窃贼们狗急跳墙，轻则取宝逃亡，重则毁宝藏身。官府不急于缉盗，欲擒故纵，盗贼认为事态平缓，就会暂时将棺中宝物放在那里。只要宝物依然还在神都近郊，我破案捕盗就易如囊中取物！”

苏无名让时间来验证自己的猜测，最后博得众人喝彩。主要就在于他看透了盗贼的心理，故而采取“放长线钓大鱼”的策略。面对狡猾的盗贼，急于求成，反而难以把事情办成。要想引“鱼”上钩，把鱼群一网打尽，就得有耐心，有节奏地反复松线、紧线，把工夫做足，“鱼”自然会上钩。

这就是《鬼谷子》说的：“古之善摩者，如操钩而临深渊，饵而投之，必得鱼焉。”意思就是说：古代那些擅长使用摩意术的人，就像渔翁拿着钓钩坐在深渊边上，装上钓饵，投入水中，必定能钓上大鱼来。这就告诉我们，善于运用“摩术”的人，只要运用得当，

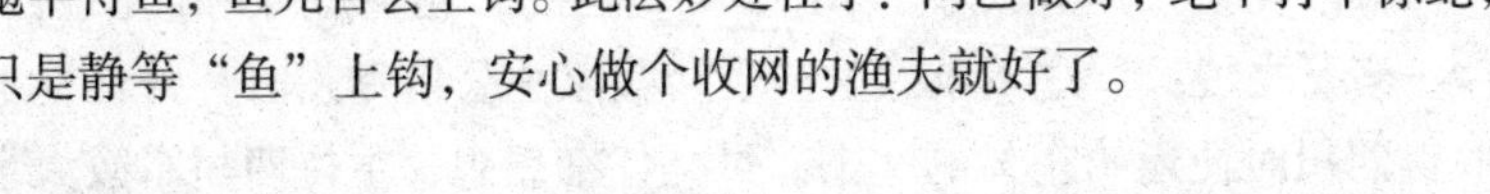

抛竿待鱼，鱼儿自会上钩。此法妙处在于：网已做好，绝不打草惊蛇，只是静等“鱼”上钩，安心做个收网的渔夫就好了。

【管理谋略】

谋阴为阳——刘备以哭保荆州

赤壁大战后，刘备按诸葛亮的安排，用计夺取了军事重镇荆州。周瑜气得金疮迸裂，决心起兵与刘备决一雌雄，经鲁肃劝说才罢兵言和。但周瑜认为刘备占据荆州是东吴称霸的心腹大患，便命鲁肃去向刘备讨回荆州。

最初，刘备以辅助侄儿刘琦为理由赖着不还。刘琦死后，鲁肃又去讨荆州，诸葛亮以“天下者天下人之天下，非一人之天下”来辩护，并立下文书，取了西川后再归还荆州。鲁肃无奈，只好空手而回。后来，刘备娶了孙权的妹子，做了东吴的乘龙快婿，孙权又要鲁肃讨还荆州，刘备已经黔驴技穷，问计于军师诸葛亮。

诸葛亮说道：“主公只管放声大哭，待哭到悲切处，我自出来劝解，荆州无大碍也。”

鲁肃来到堂上，双方互相谦让。

刘备说：“子敬不必谦虚，有话直说。”

鲁肃说：“小人奉吴侯军命，专为荆州一事而来，就算是一家人了，希望皇叔今日交还荆州为好。”

鲁肃说完后，专候刘备答复。哪知刘备无话可说，却用双手蒙脸大哭不已，哭得天昏地暗。鲁肃见刘备哀声嘶哭，泪如雨下，不禁惊慌失措，急忙问道：“皇叔何至如此？难道小人有得罪之处。”

那刘备哭声不绝于耳，哭得泪湿满襟，成了个泪人儿。鲁肃被刘备哭得胆战心寒。这时，诸葛亮摇着鹅毛扇从屏风后走出来说道：“我听了很久了，子敬可知我的主公为什么哭吗？”

鲁肃说:“只见皇叔悲伤不已,不知其原因,还望诸葛先生见教!”

诸葛亮说:“这不难理解。当初我家主公借荆州时,曾经立下取得西川时便还给东吴的文书。可是仔细想想,主持西川军政大事的刘璋是我家主公的兄弟,大家都是汉朝的骨肉。若是兴兵去攻打西川,又怕被万人唾骂,若是不取西川,还了荆州无处安身;若是不还,那东吴主公孙权又是舅舅。我主处于这两难困境,子敬又三两次的来讨,因此泪出痛肠,不由得放声恸哭。”

孔明说罢,又用眼色暗示刘备,刘备耸肩摇膀,捶胸顿足,大放悲声。

鲁肃原是厚道之人,见刘备泪下,放声痛哭,心中动了恻隐之心,以为刘备真的是因无立足之地而哭,便起身劝道:“皇叔且休烦恼,待我与孔明从长计议。”

《三国演义》中最让人难忘的就是刘备的“哭”了,作为一个乱世英雄,整天哭哭啼啼或许会让人觉得失去了英雄风范。可是,“哭”也是一种智慧。刘备就是用“哭”保住了荆州,并以此为跳板,最后发迹。

《鬼谷子》说“摩者,揣之术也。内符者,揣之主也。用之有道,其道必隐。微摩之,以其所欲,测而探之,内符必应。”琢磨那些外在表象的内在心理因素。揣摩之间,信息自然会被人察觉。刘备心思细密,在多次磨合中了解鲁肃的性情,掌握心理欲望的内在因素。这也是他保住荆州,赢得胜利的关键。人非草木,孰能无情。眼泪就是一种能够征服人心的绝妙武器。所以不可轻视眼中滚落的泪水,它能够流到人的心灵深处,打中人的恻隐之心,冲垮人的心理防线,从而达成自己的目的。

政治家是最善用眼泪的,刘备是最典型的例子。刘备这一哭,虽然是无赖之举,但却有了立足之地。明明是要霸占荆州为己有,却伪装一副可怜相。刘备善于哭,而且哭得十分有心计。可见,刘备深知“哭”的巨大作用,而且他很会哭。老百姓调侃,刘备的江山是“哭”出来的。哭而能够得到江山,应该算是哭得高明,哭得巧妙。

【商战博弈】

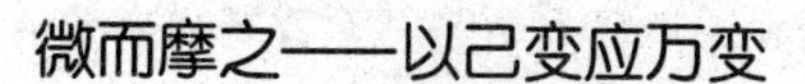

微而摩之——以己变应万变

世界上的任何事情都不会完全按照我们的主观意志去发展变化。我们要获得成功，就要首先去认识事情的性质和特点，然后根据实际情况调整自己的思路和行为方式。只有如此，我们才能在顺应事物变化的同时，驾驭变化。

动物学家们在做青蛙与蜥蜴的比较实验时发现：青蛙在捕食时，四平八稳、目不斜视、呆若木鸡，直到有小虫子自动飞到它的嘴边时，才猛地伸出舌头，粘住飞虫吃下去。之后，它又开始那目不斜视的等待，看得出来，青蛙是在“等饭吃”。而蜥蜴则完全不同，它们整天奔忙在各种地方，四处游荡搜寻猎物。一旦发现目标，它们就会狂奔猛追，直到吃到嘴里为止。吃完后，它们在略事休息，喝口水后，就整装待发，又去“找饭吃”了。

我们不妨将青蛙与蜥蜴的捕食方法当作两种不同的处世风格。青蛙的捕食方法也有可能会吃饱，但它对环境的依赖性过高，不能对随时变化的环境做出迅速的反应，池塘一旦干涸了，青蛙也就消失了；而蜥蜴的方法却很灵活，它们能够快速适应变化了的环境，所以，即使这一片池塘干涸了，蜥蜴仍能够活跃在另外一个池塘边。

我们生活的社会瞬息万变，别人在变，自己不变，自己就会成为别人的垫脚石；环境在变，自己不变，最后只能惨遭淘汰。

初秋的一天清晨，一个只有 1.45 米的矮个青年从公园的长凳上爬了起来，徒步去上班，他因为拖欠房租已经在公园的长凳上睡了两个多月了。他是一家保险公司的推销员，虽然工作勤奋，但收入少得甚至租不起房子，每天还要看尽人们的脸色。

一天，年轻人来到一家寺庙向住持介绍投保的好处。老和尚很有耐心地听他把话讲完，然后平静地说：“听完你的介绍之后，丝毫引不起我投保的意愿。人与人之间，像这样相对而坐的时候，一定要具备一种强烈吸引对方的魅力，如果你做不到这一点，将来就不会有什么前途可言……”

从寺庙里出来，年轻人一路思索着老和尚的话，若有所悟。接下来，他组织了专门针对自己的“批评会”，请同事或客户吃饭，目的是请他们指出自己的缺点。

“你的个性太急躁了，常常沉不住气……”

“你有些自以为是，往往听不进别人的意见……”

“你面对的是形形色色的人，必须要有丰富的知识，所以必须加强进修，以便能很快与客户找到共同的话题，拉近彼此之间的距离。”

年轻人把这些可贵的逆耳忠言一一记录下来。每一次“批评会”后，他都有被剥了一层皮的感觉。通过一次次的“批评会”，他把自己身上那一层又一层的劣根性一点点剥落。

与此同时，他总结出了含义不同的 39 种笑容，并一一列出各种笑容要表达的心情与意义，然后再对着镜子反复练习。

年轻人开始像一条成长的蚕，随着时光的流逝悄悄地蜕变着。几年后，他的销售业绩荣膺全国之最，并连续 15 年保持全国销售量第一的好成绩。

改变自己，然后才能改变命运。有时候，迫切应该改变的或许不是环境，而是我们自己。不学会去变，或者没有能力去变，终将被社会淘汰。

正如《摩篇第八》说：“说者听必合于情，故曰情合者听。”“摩之以其类焉，有不相应者，乃摩之以其欲焉；有不听者。”游说别人时想要让别人完全听你的意见，就要揣摩别人的心意，这就叫作两情相合而别人必定听从。用以类相从的态度去揣摩，哪有对方不迎合的呢？顺从他的心意去琢磨他，游说他，哪有不听从的呢？

所以，做一切事、解决一切问题，我们都必须随着客观事情的变化而不断调整自己，这样才能为自己提供更多的生存机会。

【职场之道】

口舌利剑——从嘴巴摩到心里

俗话说："一句话让人跳，一句话让人笑。"运用"摩意术"，一定要讲究说话的技巧，要懂得"谋之于阴"，"成之于阳"。不懂阴阳，就有可能"话不投机"，招致祸端。

古代有一位国王，一天晚上做了一个梦，梦见自己满嘴的牙都掉了。于是，他就找到了两个解梦的人。国王问他们："为什么我会梦见自己满口的牙全掉了呢？"第一个解梦的人就说："国王，梦的意思是，在你所有的亲属都死去以后，一个都不剩，你才能死。"国王一听，龙颜大怒，杖打了他一百大棍。第二个解梦人说："至高无上的国王，梦的意思是，您将是您所有亲属当中最长寿的一位呀！"国王听了很高兴，便拿出一百枚金币，赏给了第二位解梦的人。

同样的事情，同样的问题，为什么一个会挨打，另一个却受到嘉奖呢？因为挨打的人不懂得"谋之于阴"，而受奖的人则懂得"成之于阳"。可见，揣情摩意是多么的重要。

摩意术与说话时分不开的，说话是关键，千百年来一直为人们所重视。刘勰在《文心雕龙》一书中就高度评价口才的作用："一言之辩，重于九鼎之宝；三寸之舌，强于百万之师。"春秋时期，毛遂自荐使楚，口若悬河，迫使楚王歃血为盟；战国时的苏秦凭借三寸不烂之舌，游说东方六国，身挂六国帅印，促成合纵抗秦联盟；三国时诸葛亮出使东吴，舌战群儒，终于说服吴主孙权和都督周瑜联刘抗曹，而获赤壁大捷；戊戌变法中的梁启超面对国难，大声疾呼，唤起民众投身革命……无数的事实表明，金口玉言能够发挥惊天动地的巨大作用。

从某种程度上来说，事业的成功与失败，往往取决于某一次的谈话，这话绝不是危言耸听，富兰克林的自传中，有这样一段话："我在约束我自己的时候，曾有一张美德检查表，当初那表上只列着 12 种美德。后来，有一个朋友告诉我，说我有些骄傲，这种骄傲常在谈话中表现出来，使人觉得我盛气凌人。于是，我立刻注意这位友人给我的忠告，我相信这样足以影响我的前途。然后，我在表上特别列上'虚心'一项，以引起自己的注意。我决定竭力避免说直接触犯别人感情的话，甚至禁止自己使用一切确定的词句，像'当然''一定''不消说'而以'也许''我想''仿佛'来代替。"富兰克林又说："说话和事业的进行有很大的关系，你出言不慎，跟别人争辩，那么，你将不可能获得别人的同情、别人的合作、别人的帮助。"所以，你想获得事业上的成功，必须具有较强的说话能力。

俗话说"三百六十行，行行出状元"，在这三百六十行里，行行都需要口才。一个人是否会说话，成就与境遇必定会大不一样。在现代社会里，那些表现得羞怯拘谨、笨嘴笨舌的人，总会处在焦急、困难的尴尬里。有些人知识渊博，可就是因为缺乏嘴巴上的功夫，而不受人欢迎。有些人在工作上表现得也很出色，可一讲话就语无伦次，拘谨慌张，从而失去了很多晋升的机会。总之，无论事情的大小，会说话都会助你成功，在关键时刻甚至起到决定性的作用。

"事成必合于数""听必合于情"。结合"揣情术"而进行"摩意"，就能顺应别人的情意，抓住别人的心窝。再进行交谈时，既能很好地与人沟通，建立良好的人际关系。在职场中就如虎添翼，就会走得更顺利、更轻松，而工作也会因此发生许多可喜变化。

权篇第九

经典再现

摘要

《权篇第九》讲的是如何判断情势，从而运用合适的语言技巧说服对方。“权”，即权宜、权变，意指度量权衡。所谓“量权”，就是指根据所称物体轻重而变换砝码。谋臣说客在游说时就必须审时度势，随机应变，不断改变说话技巧和方法。

《鬼谷子》认为，要游说人主，就要量天下之权，要比较各诸侯国的地形、谋略、财货、宾客、天时、安危，然后才能去游说。他还指出，游说对方时应注意口、耳、目三者的协调。正所谓：“口可以食，不可以言”，“无目者，不可示以五色；无耳者，不可告以五音。”

游说之士想要获得成功，就应该掌握不同的情势。在了解对方的基础上，权衡利弊，不断改变说辞，以达到纵横驰骋，雄辩天下之目的。

【原文】

（一）

说者，说之也；说之者，资[1]之也。饰言[2]者，假[3]之也，假之者，益损[4]也；应对[5]者，利辞[6]也，利辞者，轻论[7]也；成义[8]者，明之[9]也，明之者，符验[10]也。言或反覆，欲相却[11]也。难言[12]者，却论[13]也，却论者，钓几[14]也。佞言[15]者，谄而干忠；谀言[16]者，博而干智；平言[17]者，决而干勇，戚言[18]者，权而干信；静言[19]者，反而干胜。先意[20]承欲者，谄也；繁[21]称文辞者，博也；纵舍[22]不疑者，决也；

策选进谋[23]者，权也；他分不足[24]以窒非者，反也。

注释

①资：此指借助。

②饰言：修饰言辞。

③假：借。

④益损：增减。

⑤应对：回答别人的提问和诘难。

⑥利辞：便利之辞。

⑦轻论：简洁明快的论说。

⑧成义：申抒一种主张。

⑨明之：使对方明了。

⑩符验：用事例验证说明。

⑪却：使对方疑虑打消。却，退。

⑫难言：诘难之言。

⑬却论：反驳对方言论。

⑭钓几：善于把住时机。几，机古今字。

⑮佞言：谄佞之言。干：求，博取。

⑯谀言：阿谀奉迎之言。

⑰平言：论证自己主张可行的说辞。

⑱戚言：亲近之言。

⑲静言：诤谏之言。静，诤古通。

⑳意：胸臆，此指别人心愿。

㉑繁：繁富。

㉒纵舍：前进和止息。纵，深入。

㉓策选进谋：帮人主分析进献计谋的优劣。

㉔他分不足：对方的缺陷。窒非：扼住对方的缺点、弱点不放。

译文

所谓游说，就是劝说、说服别人。说服别人，就是要资助人，而资助人则先要为他人所接受。文饰说辞、辩辞，必须假借修饰和逻辑的手段来旁敲侧击，晓谕对方，使对方领悟而达到说服人的目的。假借，就是为了强化语言的感染力量，弱化避开对方的心理障碍。回答对方疑问和诘难，必须让便利的词句脱口而出。便利的词句，就是简洁明快的言辞。使自己接应对方的话题能对答如流，从而说服对方。申说主张的言辞，是为了使对方明了我们的本意。要让对方明了我们的本意，必须用事例来验证说明。言辞或有反复使用的情况，都是为了让对方打消疑虑。诘难的言辞，是为了驳倒对方的言论。想要驳倒对方，必须善于掌握反诘的时机。反驳的言论是为了诱使对方暴露深层隐藏的思想。这是说辩的一般常识。下边我们再来谈说辞。设置谄佞的说辞，要预先知道对方的难题，出谋划策解决这些难题，是为了博取忠心耿耿的名声。设置阿谀奉迎的说辞，要博采事例来论证对方决策的可行性，因而博取智慧的美名。成就事业即论证自己的主张可行的说辞，必须果敢气壮，让对方觉得我们大勇善断而信服。套近乎的说辞，要善于替对方权衡各种决策的优劣，以取信于对方。诤谏的说辞，要敢于、善于反驳对方，博取胜利，摸准了对方的心愿顺着对方的欲望去游说，就是谄佞。博采事例来做充分论证，就是博征。筹划运用谋略的，就是权谋；进退果断，该说则说，该止则止，就是决断。替对方分析各方进献的策略，就是权衡。抓住对方的说辩缺陷而攻击对方言辞中的不足，就是善于反击。

原文

（二）

故口者，机关也，所以关闭情意[①]也；耳目者，心[②]之佐助也，所以窥瞷[③]奸邪。故曰参调而应[④]，利道[⑤]而动。故繁言[⑥]而不乱，翱翔[⑦]而不迷，变易[⑧]而不危者，睹要得理[⑨]。故无目者，不可以示以五色[⑩]；无耳者，不可告以五音[⑪]。故不可以往[⑫]者，无所开[⑬]之也；不可以来[⑭]者，无所受[⑮]之也。物有不通[⑯]者，圣人故不事也。古人有言曰："口可以食，不可以言。"言者，有讳忌[⑰]也；众口铄金[⑱]，言有曲故[⑲]也。人之情，出言则欲听[⑳]，举事则欲成。是故智者不用其所短[㉑]，而用愚人之所长；不用其所拙[㉒]，而用愚人之所工[㉓]，故不困[㉔]也。言其有利[㉕]者，从其所长也；言其有害[㉖]者，避其所短也。故介虫[㉗]之捍也，必以坚厚[㉘]；螫虫[㉙]之动也，必以毒螫。故禽兽知用其长，而谈者亦知其用[㉚]而用也。

【注释】

①关闭情意：控制心情和真意。

②心：古人以心代指大脑。

③瞷（jiàn）：窥视。

④参调而应：此指口、耳、目三种器官互相配合，协同工作。参，叁古通。

⑤利道：向有利于自己的方面引导。道，导（尊）古通。

⑥繁言：繁称言辞，用各种言辞从各方面论说。

⑦翱翔：飞鸟盘旋。此指说辩中忽东忽西，各方论说。

⑧变易：多次改换说辞。危：读为诡。

⑨睹要得理：观测中抓住了要点，说辩中掌握了法则。

⑩五色：青、赤、白、黑、黄五种颜色。此泛指外界事物。

⑪五音：宫、商、角、徵、羽五种音阶。此泛指各种声音。

⑫不可以往：不值得前去（游说）。

⑬开：开启，开导。

⑭不可以来：不值得到那里（游说）。

⑮受：接受。

⑯通：通达，通窍。

⑰讳忌：避讳。

⑱众口铄金：指舆论威力大。

⑲曲故：私曲之故。曲，此指传说中改变原内容。

⑳欲听：想要让人听从。

㉑其所短：他自己的短处。

㉒拙：不擅长的一面。

㉓工：精巧。

㉔困：穷窘。

㉕言其有利：讨论怎样对自己有利。

㉖害：此指避害。

㉗介虫：有甲壳的动物。介，甲。捍：卫。

㉘坚厚：此指厚甲坚壳。

㉙螫（shì）虫：有毒蜇的动物。螫，蜇。

㉚知其用：知道自己可以发挥的长处。

【译文】

所以说，嘴是人心的一个机关，是用来倾吐和遮蔽内心情意的。耳朵和眼睛，是大脑思维的辅助器官，是用来窥探、发现奸邪事物的。因此说：应该把口、耳、目这三者调动起来，互相配合，相互应和，以引导说辩局势朝着利于自己的方面发展。一般来说，虽有烦琐的语言但思路不乱，虽有翱翔之物但并不迷惑人，一会儿东一会儿西地说辩而不失主旨，变换说辩手段但并非诡谲难知，都是因为充分发挥了口、耳、眼的作用，使它们相互配合，因而在揣测中抓住了对方问题的要害、在说辩中掌握了既定原则的缘故，抓住言论的要害、掌握游说的真理。所以说，对色彩感觉不敏锐的人不能给他欣赏色彩斑斓的画作，对于听觉不够敏感的人，不要和他谈论音乐的变化。像这样的人主，只因为他蒙昧暗滞，不值得我们前去游说，所以无法开导他们；像这样的不值得我们到那里游说他的人主，只因为对方过于浅薄，他们也无法接受我们的意见。像这般不能通窍的人和事，就是那些圣智之士也不去打主意。除此之外，都可以用我们的嘴将他说动。所以古人常说：嘴可以用来吃饭，不能用来乱说，说话就会触犯忌讳。众口一词，可以把金子般坚固的事物说破，这是因为说话中有邪曲的缘故。言辞的威力多么大啊！人之常情，只要自己说的话，希望别人听从，只要筹办事情就希望能够取得成功。我们想要游说成功，就要学会借用别人的力量。聪明人不用自己的短处，而去利用愚蠢者的长处；不用自己不擅长的地方，而去利用愚蠢者的技巧之处，这样做到逼己所短，用人之长，这样做起事来永远顺利。我们常讨论怎样做对自己有利，就是要发挥自己的长处；讨论怎样才能避害，就是要避开自己的短处。那些有甲壳的动物保护自己，一定是用自己坚厚的甲壳；那些有毒蜇的动物进攻别人，一定是发挥自己的毒蜇的威力。禽兽都知道利用自己的长处，我们游说策士更应该懂得如何利用自己的优势了。

【原文】

（三）

故曰辞言[1]有五：曰病、曰恐、曰忧、曰怒、曰喜。病者，感衰气而不神也[2]；恐者，肠绝而无主也[3]；忧者，闭塞[4]而不泄也；怒者，妄动而不治[5]也；喜者，宣散而无要[6]也。此五者，精[7]则用之，利[8]则行之。故与智者言，依于博[9]；与博者言，依于辨[10]；与辨者言，依于要[11]，与贵者言，依于势[12]；与富者言，依于高[13]；与贫者言，依于利；与贱者言，依于谦；与勇者言，依于敢[14]；与愚者言，依于锐[15]。此其术也，而人常反之。是故与智者言，将以此明之[16]；与不智者言，将以此教之，而甚难为也。故言多类[17]，事多变。故终日言不失其类[18]而事不乱[19]。终日不变而不失其主[20]。故智贵不忘[21]。听贵聪，智贵明，辞贵奇。

注释

①辞言：不被接受之言。

②病者……神也：尹知章曰："病者恍惚，故气衰而言不神也。"

③恐者……无主也：肠绝，形容极端害怕。

④闭塞：此指情思不通。泄：此指畅达。

⑤治：此指有条理。

⑥要：要点。

⑦精：精通。

⑧利：有利。

⑨博：渊博，博闻多识。

⑩辨：辨同异而使之条理化。

⑪要：要领。

⑫势：气势，势态。

⑬高：通豪，豪气。富者骄人，故以豪气待之。

⑭敢：果敢。

⑮锐：锐利。此指一竿子插到底，明言利害。

⑯明之：使他明白，启发他。

⑰类：类别。

⑱不失其类：不偏离某类言辞的原则。

⑲事不乱：论事有条不紊。

⑳主：主旨，主题。

㉑忘：遗忘。

【译文】

所以说，在言辞中有五种失常的情态，均需在言谈中避免，力求情绪稳定。这五种状态即病态之言，惊恐之言，忧怨之言，愤怒之言，喜悦之言。一般来说，病态之言，就像病人气力不足那样没有神气，神态恍惚，精神不足，有衰竭之气，是气势不足的言辞。惊恐之言，是指心存恐惧，断肠而致失去理智，思维紊乱，失去主意的言辞。忧郁之言，就像人愁思不通那样不畅达，关闭阻塞，心情沉重压抑，思路不畅，不能宣泄，是寡言少语的言辞。愤怒之言，就像人怒火攻心胡撞乱动那样没有条理，情绪激烈，言多狂悖，语失条理的言辞。喜悦之言，就像人得意忘形不知所为那样没有要点，轻浮不庄，话语松散而无重点，是抓不住要领的语言。这五种处于失去控制状态的言辞，只有精通它的妙用的人在特定场合才可以使用它，才可以发挥它的特殊作用而利于己方。为了便于达意，增强说服力，以换取对方的情感反应，就必须以巧妙的情感表态去强化说服的效果。一般说来，游说有智谋的人要靠博识多见的言辞，以显示自身的博学，游说博闻多见的人要靠条理明辨的言辞，游说明辨事理的人要依靠言辞中要点明确，游说高贵的人要依靠言辞中有气势，要以高雅潇洒为原则，游说富人要靠我们谈话时豪气冲天，游说贫穷的人要靠言辞中以利引诱，游说低贱的人要靠我们谈话时态度谦恭，游说勇士要靠我们谈话时表情果敢，游说愚蠢的人要靠我们把利害讲得明明白白。这就是游说之术。但是，不少人却常常背道而驰。他们跟聪明人交谈时，就用这些方法去阐述道理；跟愚蠢者谈话时却用这些方法去教导他，这就很难达到游说目的了。由上论可见，言谈因为说服对象的不同而有多种方法，事物也有多种的变化。整日说辩但偏离不了各种言辞的原则，言谈的宗旨也不作变化，所以智慧的可贵之处在于不会思维紊乱。终日这样说辩又偏离不了主题，这就是掌握了说辩术的智识之士。耳朵听事在于聪明，头脑思考在于明辨，说辞、辩辞在于新奇。这样才能雄辩天下，说服人主。

【为人处世】

措辞恰当——虚虚实实应对流言

面对流言，采用虚虚实实的方法自己就可以从容应对。

我们生活的环境不是一块净土，身为其中的一员，你得处处小心，用平和的心态去面对周边的人。

可“人上一百，形形色色”，不是所有人都像你想象中那样好应付的。有时会遇到别人有意无意抢白你，奚落、挖苦、讥讽你，你该怎么办？大多数时候都可以用语言作“护心符”，筑起防卫的堤坝。有随机应变能力的人，就能调动自己的智慧，化被动为主动，使尴尬境遇烟消云散。“兵来将挡，水来土掩”，“见招拆招”，你可视不同的来者选择不同的应付办法。

若判明来者不善，是怀有恶意，故意挑衅，你可以“以眼还眼，以牙还牙”，有理、有利、有节，即有礼貌而巧妙地回敬对手，针锋相对，让对手知道你的厉害。

英国前首相威尔森在竞选时，演说刚讲到一半，突然有个故意捣乱者高声打断他：“狗屎！垃圾！”显然，他的意思是叫威尔森“别再胡说八道”。威尔森却不理会其本意，只是报以容忍的一笑，安抚地说：“这位先生，我马上就要谈到您提出的脏乱问题了。”捣蛋者一下子哑口无言。

像故事中的英国首相威尔森在遇到对自己不利的言语时，其机智地回敬对方，可以称得上应对流言的经典。假如有人冲着你横眉竖眼，恶语中伤地骂道：“你这个人两面三刀，专门告我的阴状，想踩着别人的肩膀爬上去，没门！”如果你心中无愧，完全不必大发雷霆，倒不妨解嘲地反诘：“哦！是真的吗？我倒要洗耳恭听。”然后诱使谩骂者继续说下去，直到对方无话可说，你再“鸣金收兵”。在这种情况下，你以温文尔雅、彬彬有礼的方式笑迎攻击者，显然比暴跳如雷、大动肝火为好，而且也不失自己的风度。如果对方来势汹汹，盛气凌人，前来指责辱骂你，而你确信真理在手，你则应报以藐视的目光、冷峻的笑颜，让他尽情地发泄个够，而不予理会。有时沉默无言的蔑视，力胜千钧，抵得上万语千言。

须知，运用针锋相对的手法，旨在给对手一个“闷宫将”，使之哑然。在人数众多的场合，还有个争取群众的理解和支持的问题。若你回应得过于刻薄，引起一顿争斗，那就会失去意义。比如，在一次演讲中，台下有人喊道：“你讲的笑话我不懂。”演讲者知其来者不善，就马上尖酸地当众顶了回去：“你莫非是长颈鹿！只有长颈鹿才可能星期一浸湿了脚，到星期六才能感觉到呢！”这样当面反唇相讥，讲者虽然痛快，但有可能失去群众。所以，一个人应该要有自我控制能力，要善于约束自己。因烦躁而失礼，愤慨而变态，兴奋而忘形，这就有失修养了。

如果有人用过于唐突的言辞使你受到伤害，或叫你难堪，你则应该含蓄以对，或采取装聋作哑、拐弯抹角、闪烁其词，或采取顺水推舟、转移“视线”、答非所问，谈一些完全与其问话“风马牛不相及”的事，用这种委婉曲折的方法反驳对手，相信一定会取得奇特的功效。

比如，有个人刚被提拔到某领导岗位，有人对此揶揄道：“这下子你可平步青云，扶摇直上了吧！”你听了不必放在心上，可一笑了之：“是这样吗？你算得这样准？”用这种不卑不亢的应对方法，立即使对方语塞。相反，你过于计较，说出一大堆道理，倒显得太小气，反而适得其反。假如有人以半真半假的口吻问：“你得了一大笔奖金，该‘发财’了吧？”如你避实就虚地回答：“你也想吗？咱们一块来干。”语中带点儿阳刚锐气，别人再问，也不好意思了，也没有可问的话了。

有的时候，可能会遇到棘手犯难的问题，对此，若以幽默谐趣的方式回答，往往会“化险为夷”，改变窘态。在“山重水复疑无路”时，转为“柳暗花明又一村”，从而使尴尬局面消失在谈笑之中。

回答对方的疑问和诘难，必须让便利的词句脱口而出。用简洁明快的言辞申说自己的主张。这就是《鬼谷子》说的："应对者，利辞也；利辞者，轻论也；成义者，明之也；明之者，符验也。"

俗话说："害人之心不可有，防人之心不可无。"练就随机应变的语言表达功能，如同"少林拳"一样，只可用它筑防卫之堤，切不可主动进攻、出口伤人。而且防卫要注意有礼貌，不管是用"软"办法含蓄反驳，还是用"硬"办法原话顶回，都要有理、有节。有一次，一位长者在买菜时，说："你这菜太老了！"卖菜者立即反唇相讥："还有你老啊！"这种嘴不饶人的做法是不足效仿的。如果自以为有一副伶牙俐齿，以尖刻之语到处挑起"战火"，那就必定招人嫌了。所以在职场中，学会一套虚虚实实的手法去面对流言，不失为保护自己的好办法，也会让你在职场中游刃有余。

【管理谋略】

舌灿莲花——郦食其巧说齐王

郦食其，秦朝陈留县高阳乡（今河南开封市杞县西南）人。少年时就嗜好饮酒，常混迹于酒肆中，自称为高阳酒徒。他非常喜欢读书，但家境贫寒，穷困潦倒，连能供得起自己穿衣吃饭的产业都没有，只得当了一名看管里门的下等小吏。尽管如此，县中的贤士和豪强却不敢随便役使他，县里的人们都称他为"狂生"。

秦二世元年（公元前209年），陈胜、吴广打起"伐无道，除暴秦"的旗帜，于是天下群雄起而响应。项梁、项羽起兵于会稽，刘邦发难于沛县。当陈胜、项梁等起义军路过高阳时，郦食其非常轻视他们，认为他们都是些鼠目寸光之辈，不足以举大事，只有对刘邦十分敬仰，说他有雄才大略，可以和他一起共事。于是郦食其前往投靠刘邦，凭借自己的聪慧得到刘邦的赏识，并获得了"广野君"的称号。

郦食其常常担任说客，以刘邦使臣的身份奔走于天下诸侯之间。

当时天下格局初定，楚汉相持的局面渐渐形成，只有齐国具有相当的实力，和楚汉不即不离，因此，齐国的立场就显得格外重要。

楚汉相争，正面战场一时间难分胜负，在韩信破赵、收燕准备南下攻齐的关键时刻，郦食其自告奋勇，向刘邦请命说："田齐地广势众，齐将田间统帅二十万大兵驻守历城（今山东济南一带），汉军即使派出数万大军，也难以在短期内攻破。我请求受命出使，劝说齐国向汉称臣。"刘邦采纳了他的建议，便派他出使齐国，去说服齐王田广，争取其成为刘邦的同盟。

郦食其只身来到齐国，不仅证明了他的勇气与魄力，实际上，他是将自己的性命当作游说的筹码。他相信只凭自己一人，便可让齐国归顺，正如他相信刘邦会让他全权处理一样。

郦食其来到齐国后，即刻请求拜见齐王田广。他从中门缓缓地进入，并未向齐王行跪拜之礼。齐王见他这样，不禁大怒道："你来我国游说，竟敢违背礼仪，是不是欺负我们没有军队啊？"

郦食其说："汉王率领百万雄师，威震内外，韩信现在屯兵赵国，随时都有可能席卷而来。可惜齐国的人民已经危在旦夕，大王的君位也很难保全了。我今天来此，一是想要救齐国人民的性命，一是为保大王安然无忧，我担负这样的使命，并不是有求于大王，为何要行跪拜之礼呢？如果大王不想保住齐国的话，就尽管立即杀掉我，以正君臣之礼；如果是为齐国的百姓考虑，为什么不听听我的建议呢？"

齐王说："我堂堂齐国地域广阔，国富兵强，内有文臣治世，外有武将安边，哪里来的危在旦夕？"

郦食其说："大王又何必自欺欺人呢！论勇武，大王与霸王相比，怎么样啊？霸王得关中而不能守，走彭城而不能敌，五国皆叛，关中尽失。如今大王想要以齐国的千里之地，对抗全胜的汉王，难道不是一种错误吗？"齐王听了沉吟许久，无言以对。

郦食其接着说："大王无须再想，要想知道齐国是否可以保全，关键在于天下人心的归向，不知大王知道吗？"

齐王说："我不知道。"

郦食其说："当今天下，楚表面强大实际势弱，汉看似势弱实则强大。汉王和项王一起攻打秦朝，早就约好了，先攻入咸阳的人便可以称王。汉王首先攻入咸阳，但项王却不让他在关中称王，而让他到汉中为王。汉王攻下城池，立刻就给有功的将领封侯；缴获了财宝，立刻就分赠给士兵，和天下同得其利，所以那些英雄豪杰都愿意为他效劳。而项王对别人的功劳从来不记得，对别人的罪过却又从来不忘记；将士们打了胜仗，却得不到奖赏；攻下城池，也得不到封爵；不是他们项氏家族的，便得不到重用；对有功人员，不愿意授给侯印；攻城得到财物，不肯赏赐给大家；天下人都背弃和怨恨他，没有人愿意为他效力。我知道天下之所归在于汉，而不在楚，大王最好及早归附汉王，这才是明智之举。我此次前来是为了齐王您，而不是为了汉王，还请大王三思。"

齐王听了郦食其的话，觉得很有道理，便起身向郦食其拜谢说："先生此来的确是为了寡人，刚才言语上有所冒犯，还请恕罪。不知先生所说的归附之事，应该如何去做啊？"

郦食其见时机已到，便说："现在汉王已经据有敖仓的粮食，阻塞成皋的险要，守住了白马渡口，堵塞了大行要道，扼守住蜚狐关口，天下诸侯若是想最后投降那就先被灭掉。您若是赶快投降汉王，那么齐国的社稷还能够保全下来；倘若不投降汉王，那么危亡的时刻立刻就会到来。大王最好先派人到荥阳递上降表，我在此等候，和大王一起迎接汉王的到来。"

郦食其以其三寸不烂之舌，说服了齐王，而且还使齐王对他感激不已，真可谓是帮了刘邦一个大忙。

所谓："谀言者，博而干智。"套近乎的说辞，要善于替对方权衡各种决策的优劣，摸准了对方的心愿顺着对方的欲望去游说，以取得对方的信任。鬼谷子十分重视语言的效应。他认为游说君主并不在于说多少话，重要的是把话说得恰如其分，抓住问题的关键，这样才能取得良好的效果。

身为刘邦的谋士，郦食其从一开始，便看到了刘邦的前途与未来，所以他才会只身前往齐国，实际上是以自己的性命为自己的承诺做担保，虽然他只是一个手无缚鸡之力的儒生，但他的三寸不烂之舌打动了齐王。这正是语言的魅力所在。

【商战博弈】

另辟蹊径——犹太人的赚钱“机器”

能够为你带来利润的都可以成为商品。有时候做生意，头脑要灵活，靠国籍都能致富。商人就应该有这样的眼光，在这方面犹太人做得最好，他们连靠国籍致富这样的点子都想到了。犹太商人罗恩斯坦是一个典型的靠国籍致富的人。

罗恩斯坦的国籍是列支敦士登，但他并非生来就是列支敦士登的国民，他的列支敦士登国籍是用钱买来的。

罗恩斯坦把总公司设在列支敦士登国，办公室却设在纽约。在美国赚钱，却不用交纳美国的各种税款，只要一年向列支敦士登国交纳 10 万元就可以了。他是个合法逃税者，通过减少税金，获取更大利润。

罗恩斯坦经营的是“收据公司”，靠收据的买卖，可赚取 10%的利润。在他们的办公室里，只有他和他的女打字员两人，打字员每天的工作是打好发给世界各地服饰用具厂商的申请书和收据。他的公司实质上是斯瓦罗斯基公司的代销公司，他本人也可以说是一个代销商。提及斯瓦罗斯基公司，不得不提罗恩斯坦致富的本钱——美国国籍，下面是罗恩斯坦的一段故事：

达尼尔·斯瓦罗斯基家是奥地利的名门，他们的公司世世代代都生产玻璃制假钻石的服饰用品。精明的罗恩斯坦最初便看准了这家公司，只是时机未到，他只好静静地耐心等候。

第二次世界大战后，斯瓦罗斯基的公司因在大战期间迫于德军的威力而不得不为其制造望远镜，故法军决定将其接收。当时是美国人的罗恩斯坦悉知情况后，立即与达尼尔·斯瓦罗斯基家进行交涉："我可以和法军交涉，不接收你的公司，交涉成功后，请将贵公司的代销权让给我，直到我死为止，阁下意思如何？"

斯瓦罗斯基家对于犹太人如此精明十分反感，大发雷霆。但经冷静考虑后，为了自身的利益，只好委曲求全，为保住公司的巨大利益而全部接受了他的条件。

对法国军方，他充分利用美国是个强国的威力，震住了法军。在斯瓦罗斯基家接受他的条件后，他马上前往法军司令部，郑重提出申请："我是美国人罗恩斯坦，从今天起斯瓦罗斯基的公司已变成我的财产，请法军不要予以接收。"

法军哑然，因为罗恩斯坦已经是斯瓦罗斯基公司的主人，即此公司的财产属于美国人。法军无可奈何，不得不接受罗恩斯坦的申请，放弃了接收的念头。美国人的公司法国是不敢接收的，因为他们惹不起美国。

以后，罗恩斯坦未花一分钱，便设立了斯瓦罗斯基公司的"代销公司"，大把地赚取钞票。罗恩斯坦真可谓是不沾手便能赚大钱的干将。

罗恩斯坦的致富，是国籍帮了他的大忙，以美国国籍作为发家的本钱，再靠列支敦士登国的国籍合理逃避大量税收，赚取大钱！

当然，犹太人巧用国籍的本领与他们2000多年饱受歧视、屡遭迫害的流浪漂泊生活不无关系。以色列建国前，他们没有自己的家园，没有属于自己的真正情感和文化意义上的国家。所谓的居住国国籍，也不过是他们借以获取一国公民正常拥有的权利的手段之一罢了。因此，国家不过是一个外在的手段和工具，那么，利用这个工具来为自己赚取更好的生活，来为自己赚取更多的钞票就自然而然了。

鬼谷子在《权篇第九》中讲："是故智者不用其所短，而用愚人之所长；不用其所拙，而用愚人之所工。"聪明的人，不用自己的短处，而去利用愚蠢者的长处；不用自己不擅长的地方，而去利用愚蠢者的技巧之处。犹太人正是明白了这个道理，在商战中灵活变通，充分应用自己的聪明才智，取得最大化利益。由此可以看出，商人赚钱的关键是找到最好的赚钱“机器”，挖掘新思路，发现新的生意点。

【职场之道】

保持清醒——“好心人”未必有好心肠

对你和颜悦色、笑脸相迎的人未必有心对你。乔治·凯利和鲍尔同在爱德尔大酒店餐饮部掌厨。鲍尔在公司人缘极好，他不仅手艺高超，且总是笑脸迎人，待人和气，从来不为小事发脾气，和同事和谐相处，乐于帮助别人。同事对他的评价很高。都称他为“好心的鲍尔”。一天晚上，乔治·凯利有事找经理。到了经理室门口时，听到里面正在说话，并且依稀有鲍尔的声音，他仔细一听原来是鲍尔正在向经理说同事的不是，平日里很多小事都被鲍尔添油加醋地说，像汤姆把餐厅的菜单拿给他做餐馆生意的叔叔啦，还有玛丽平时工作不认真，喜欢在工作时间给朋友打电话，并且还说到自己的坏话，借机抬高他本人。乔治·凯利不由心生一阵厌恶。

从此以后，乔治·凯利对于鲍尔的一举一动，每一个表情，每一句话都充满了厌恶和排斥感，无论他表演得多好，说任何好听的话，乔治·凯利都对他存有戒心。同事也从乔治那里看出些什么，对鲍尔也敬而远之了。

办公室里的人际关系错综复杂，没有一双“慧眼”是不可能很好生存的。在强敌如林的竞争者当中，不乏冷若冰霜的自私者、趾高气扬的傲慢者，但更可怕的是笑里藏刀的“好心人”。这些好心人往往有着不错的人缘，很好的口碑，能够在各种大事小情里发现他们的身影，他们往往口蜜腹剑，戴着友善的面具，赢得上司的信赖和同事的敬重，却在背后干着损人利已的勾当。他的可怕之处在于让你找不出谁是使你蒙受不白之冤的幕后黑手，谁让你置身于不仁不义的两难境地，分不清谁是敌、谁是友。因此，只有擦亮双眼，提高警惕，仔细观察，谨慎处世，那么无论多么狡猾的“好心人”，终有一天会露出尾巴，现出原形的。

对于在办公室丛林中生存的雇员们，职场的游戏规则告诉我们：这里没有无缘无故的爱，也没有无缘无故的恨。当我们被别人的花言巧语、阿谀奉承所蛊惑时，千万要保持清醒的头脑和提高我们对事情的分析识别能力，并不是每一个对你横眉冷对、不愠不火的人都是你的敌人，也并不是所有对你热情周到、称兄道弟的人都是你的朋友。

在工作中，有一种人整天面带笑容，见人十分客气，表现得特别友好。暗地里，却使出手段造你的谣，拆你的台。这种戴着面具的“好心人”，往往容易让你吃了亏还不知道是怎么回事，因为许多人压根儿就不知道这一巴掌正是他打来的。所以，此类人看来异常谦卑恭敬，礼貌周到，且热情友善绝不难于相处。新职员往往有如沐春风之感，可是背后他做的事你就一无所知，即使开怀畅饮后他们也难有半点儿口风露出。这种人通常在任何时间、场合、处境，面对任何人物，都会笑面迎人，亲热非常，原因是笑对他来说是一种工具，一种与人沟通的媒介，其眼神往往能与说话相配合，以达到其个人不可告人的目的。

对这种戴着面具的“好心人”，一定要特别当心。这类“好心人”的特点是，上下班总是主动和你打招呼，表现出过分的热情，甚至对你称兄道弟。为了博取你的欢心，往往他还会顺着你的话滔滔不绝地说下去。

另外，这种人如果和同事发生了利害冲突，他真的会不顾一切地去争取他那一份微小的利益。这时候，他的伪善面具自然就会脱落，露出真实的面目。

在日常工作中，我们与人相处不能只注意表象，也不能仅从某事来判断一个人。很多伪善和假象常欺骗我们的眼睛，我们只有仔细观察，多方求证，时间长了才能看清一个人的真面目。在此之前，待人接物，一定要加倍小心，谨防职场上的“好心人”。

我们对于戴着面具的“好心人”的认识的确需要一个过程。要在观察、了解中分析，才能揭开他的虚假面具，使他的真面目暴露在众人面前。进而，在心理增设一道防线，防止他对自己造成伤害。

“故口者，机关也，所以关闭情意也；耳目者，心之佐助也，所以窥䁥奸邪。”嘴巴、耳朵和眼睛，三者调动起来，相互应和，才能将局势朝着有利于自己的方向发展。心知肚明，时刻保持清醒的头脑，防人之心不可无，千万不能把他们当成知己好友，而把自己的心事轻易地告之。否则，不但会惹来对方的轻视，还会成为别人的笑柄。同时，你也不能得罪他，因为，如果引起他的反感，他对你的评价就会影响周围人对你的印象，那你不就是自讨苦吃吗。当然，只要留心观察，同事中的这类人还是不难辨认的。

因此，看一个人不但要从他的语言，更要从他的行为来判断。

谋篇第十

经典再现

摘要

“谋”，即谋略、谋划，指施展谋略计策。“谋”篇是游说谋略的扩展，是“权”篇的姊妹篇。“权”篇注重形势判断，更多地停留在分析阶段；“谋”篇则侧重于实事求是，是一种务实的态度。

《鬼谷子》认为：“凡谋有道，必得其所因，以求其情。”分析了“相益则亲，相损则疏”的各种情况，指出“制人者握权也，见制于人者制命也”的竞争本质，强调因人制宜，“因事而裁之”的游说方略，以及“天地造化，在高与深；圣人之制道，在隐与匿”的隐秘法则。

所以，在实施谋略时，游说策士们应该详尽地掌握事情的真相和规则，分清利害关系，因事制宜，进而提出具有针对性的应对策略和计谋。此外，在付诸实施的阶段，还得适时调整，以正惑敌，做好保密工作，悄无声息地制服对手，达到“制人”的目的。

原文

（一）

凡谋有道[①]，必得其所因[②]，以求其情。审得其情，乃立三仪[③]。三仪者：曰上，曰中，曰下，参[④]以立焉，以生奇[⑤]。奇不知其所壅[⑥]，始于古之所从[⑦]。故郑人之取玉也，载司南之车[⑧]，为其不惑也。夫度材量能，揣情者，亦事之司南也。故同情[⑨]而相亲者，其俱成[⑩]者也；同欲而相疏者，其偏害者也。同恶[⑪]而相亲者，其俱害[⑫]者也；同恶而相疏者，其偏害者也。故相益[⑬]则亲，相损则疏，其数[14]行也，此所以察异同之分[15]也。故墙坏于其隙[16]，木毁于有节[17]，斯盖其分[18]也。故变[19]生事，事生谋，谋生计，计生议[20]，议生说，说生进，进生退，退生制[21]。因以制于事。故百事一道而百度[22]一数也。

注释

①道：原则，规律。

②所因：所缘发、所产生的原因。

③三仪：三种境界。仪，法度，标准。

④参：参照，参验。

⑤奇：奇计。

⑥壅：壅塞，阻挡。

⑦始于古之所从：遵从古人就开始使用的方法。

⑧司南之车：古人用磁石指南原理制成的确定方位的仪器。

⑨同情：感情、欲望相同。

⑩俱成：共同成功。

⑪恶：厌恶，设法避开。

⑫俱害：同受害。

⑬相益：共同得利。益，加。

⑭数：规则，道理。

⑮分：分别，区分。

⑯隙：裂缝。

⑰节：节疤。

⑱分（fèn）：职分，名分，引申为自身规律，固有准则。

⑲变：变化，运动。

⑳议：议论，讨论。

㉑制：控制，制世策略。

㉒度：节度，规则。

译文

凡是给人家谋划事情，进行谋略的规划，都要查明事情的原委，遵循一定的规则，即首先要追寻所面临的问题的起因，进而探求事物发展过程特别是现在的各种情况。掌握了这些情况，才可以制定三种策略。所谓三种策略，

就是上策、中策、下策。将这三种策略互相参验，互补互取，就能产生出解决这一问题的良策奇谋来。真正的良策奇谋是无所阻挡、无往而不胜的。这种设计奇谋的方法并非我们的创造，是古人就曾实施过的。据说，郑国人到山里去采玉石，必定带着指方向的司南车，是为了不迷失方向。忖度称量实施计谋之人的才干能力，掌握各种相关因素，抓第一手材料，也是因事立计的“指南车”。立计中还要注意人的因素，情欲相同的人做事之后能够仍旧保持亲密关系，是因为他们都取得了成功，都获取了利益；情欲相同而事后却关系疏远了的人们，是因为他们中只有一方取得了成功，获取了利益。一同想避免某种结局而事后仍能保持亲密关系的人们，是因为他们同样受到伤害，同样遭受损失；一同想避免某种结局但事后关系疏远了的人们，是因为他们中只有一方受到了伤害，遭受了损失。所以，共同获取利益就能保持亲密关系，使一方遭受损失必然导致疏远，任何事情的道理都是这样。用这种道理去考察人们的相亲相疏，其原因必定也是如此。所以说，墙体崩坏都是从缝隙开始的，木材断折都是从有节的地方开始的，这大概就是所说的自然规律吧！所以在策划计谋时要考虑内部各方面的利益，调动各方面的积极性。要知道，新事物、新情况，都是由旧事物的发展变化才产生出来的。为解决新情况、新问题才产生了谋略。由谋略再产生出实施计划。实施计划一定要交给大家讨论、议论，听取各方意见，考虑各方利益。讨论、议论中必定产生新的说法、新的计划。综合新旧计划，制定进退有节、回旋有余的实施措施，去处理问题，去解决问题。任何事情的处理方式都是这样，任何计谋的产生程式都是如此。

原文

（二）

夫仁人轻货[①]，不可诱以利，可使出费[②]；勇士轻难[③]，不可惧以患[④]，可使据危[⑤]；智者达于数[⑥]，明于理，不可欺以不诚，可示以道理，可使立功，是三才[⑦]也。故愚者易蔽也，不肖者易惧也，贪者易诱也，是因事而裁[⑧]之。故为强者，积于弱也；为直者，积于曲也[⑨]；有余者，积于不足也。此其道术行也[⑩]。故外亲而内疏者，说内；内亲而外疏者，说外。故因其疑以变之，因其见以然[11]之，因其说以要[12]之，因其势以成之，因其恶[13]以权之，因其患以斥[14]之。摩而恐[15]之，高而动之，微[16]而证之，符[17]而应之，壅[18]而塞之，乱而惑[19]之，是谓计谋。

注释

①货：财物。

②费：费用，策士游说经费。

③难：患难，祸事。

④患：祸患，忧患。

⑤危：危难之地。

⑥数：机数，权术。

⑦三才：三种人才。指上述仁人、勇士、智者。

⑧裁：制裁，处理。

⑨为直……曲也：大直若曲，故积曲可以为直。

⑩此其道术行也：这就是上边所说的计谋的运用。

⑪然：承认，附和。

⑫要：抽绎出要点。

⑬恶（wù）：厌恶。权：权变，变通。

⑭斥：除，除去，舍弃。

⑮恐：恫吓。

⑯微：微暗。

⑰符：内符，由外在表象推测出的内心想法。

⑱壅：壅闭。

⑲惑：迷惑。

译文

一般来说，仁德君子视财物如粪土，所以不可以用钱财去引诱他，但可以让他为我们提供财货。勇敢的斗士不畏惧祸难，所以不可以用灾患去吓唬他，倒可以让他担当危险的责任。智识之人通达机数，明于大道，不可以用欺骗的手段对待他，倒可以用大道理来晓谕他，让他为我们做事，从而建功立业。这三种人就是仁人、勇士、智者，我们称之为“三才”。相反，愚蠢者可以用欺骗手段蒙蔽他，不肖之徒可以用恐吓手段威胁他，贪婪者可以用金钱去利诱他，应该因人因事而使用不同手段。弱者善用权术、善借人力就可以变为强者，隐曲的手法用熟练了可以让人看作是直率手段，积累不足可以变为有余，这就是计谋权术的运用。由此而论及游说，游说对象外表上与我们亲善而内心却相当疏远，我们就应当运用计谋去打动他的内心，要解除对方对我们的疑虑。游说对象内心赞同我们而外表上装作冷淡，我们就应当运用权术去做表面工作。可以根据对方所疑惑的问题，来改变自己的游说内容。要使内外俱亲，就要依据对方的疑点，顺着对方的见解来加以肯定他，鼓励他；改变我们的计谋，依据对方所见所闻肯定某些东西，依据对方的言谈总结出实施要点，依据对方势力强弱去成就事业，依据对方的好恶改变我们的计谋，依据对方的忧惧舍弃决策中的某些部分。这样做取得宠信之后，就要设法控制对方。琢磨透他的心意去恐吓他，分析形势的高危使他震动，把他微暗中的活动摆在光天化日之下，由外表推测出他内心的想法而设计相应的对策对付他，隔绝他的视听，闭塞他的耳目，打乱他的思维，迷惑他的理智，进而完全控制他，这就是人们所说的进谋的策略了。

原文

（三）

计谋之用，公不如私①，私不如结②，结比而无隙者也③。正不如奇④，奇流而不止⑤者也。故说人主者，必与之言奇⑥；说人臣者，必与之言私⑦。其身内，其言外者疏⑧；其身外，其言深者危⑨。无以人之所不欲而强⑩之于人，无以人之所不知而教⑪之于人。人之有好⑫也，学而顺之；人之有恶也，避而讳⑬之。故阴道而阳取之⑭。故去之⑮者从之，从之者乘之⑯。貌者，不美又不恶，故至情托焉⑰。

注释

①私：私室，引申为私下里。

②结：结盟，指二人计议。

③结比……者也：结比，结盟。比，并。

④奇：即适合解决这一问题的出人意料的计谋。

⑤奇流而不止：奇计一用，像流水那般难以被对方阻止。

⑥言奇：讨论治国奇计。

⑦言私：讨论切身利益。

⑧其疏：见疏，被疏远。

⑨危：遭受危难。

⑩强：强加。

⑪教：教导，告诉。

⑫好：喜欲，嗜欲。

⑬讳：讳忌，避讳。

⑭故阴道而阳取之：这就叫作暗地里使手段而公开获取利益。

⑮去之：使之去，让他离开。从之：放纵他。从，纵古今字。

⑯从之者乘之：乘，驾驭，制伏。

⑰貌者……托焉：我们的外貌要表现得中正平和，让别人交心于我们，依靠我们。

译文

说到策划、实施计谋，在大庭广众之下谋划不如在私室中谋划，在私室中谋划不如二人结盟谋划，结成巩固的联盟，别人就无机可乘了。说人说事中，运用常法不如运用出人意料的奇妙谋略。因为，出人意料的奇妙谋略是变化无穷的，实施起来就像流水一般，使对手无法阻挡。游说人主时，要注意与他谋划这样的奇计。但游说人臣时，首先申说的是他个人的切身利益。你身在某一决策圈内，却把机密、计谋泄露到圈外去，必定被疏远。你身在某决策圈外，却过多地议论决策圈内的事，必定会有危险降临到你头上。你不要把别人不想做的事、不想解决的问题，强加在别人头上，去游说他做这事、解决这问题。你也不要把别人所不可理解的道理去告诉他，开导他。如果发现别人有什么嗜欲，你要想办法迎合他，投其所好，顺着去做。别人有讨厌的事，你就极力避开，极力避讳。要用不易为人察觉的手法来达到说服的目的。这就叫作暗地里使手段而公开获取利益。想要排斥某个人，先放纵他，让他看到自己的思维行动所产生的后果的谬误，然后利用这个机会，顺理成章地除掉他。你自己要经常装出中正平和、不善不恶的表情，这样别人就敢把真心交给你，把他自己托付给你了，这些都是使用计谋时应该注意的事项。

原文

（四）

可知者，可用也；不可知者，谋者所不用也。故曰事贵制人[1]，而不贵见制于人。制人者，握权[2]也；见制于人者，制命[3]也。故圣人之道阴[4]，愚人之道阳[5]。智者事易[6]，而不智者事难[7]。以此观之，亡不可以为存[8]，而危不可以为安。然而无为[9]而贵智矣。智用于众人之所不能知，而能用于众人之所不能见。既用，见可[10]，否择事而为之，所以自为[11]也；见不可，择事而为之，所以为人[12]也。故先王之道阴。言有之曰：天地之化[13]，在高与深，圣人之制道，在隐与匿[14]。非独忠信仁义也，中正[15]而已矣。道理达于此之义，则可与语。由能得此[16]，则可以谷[17]远近之义。

注释

①制人：控制别人。

②握权：掌握了权变的主动权。

③制命：此指被控制了命运。

④阴：此指隐暗不露。

⑤阳：公开做事。

⑥事易：做事容易。

⑦事难：做事难。

⑧不可以为存：不能够设法让它存在。

⑨无为：此指无为而处世。智者道阴，暗中用计，表面无为。

⑩见可：看到可以（进行）。

⑪自为：自己做。

⑫为人：让人去做。

⑬化：化生（万物）。

⑭隐与匿：隐藏不露。

⑮中正：中正平和，不过分加害于人。

⑯由能得此：假如能够掌握这种道理的人。

⑰谷：养育。

【译文】

能够了解、掌握的人，才可以使用他。不能了解、掌握的人，善于谋划的人是不用他们的。所以说，做事贵在控制别人，而千万不可被人控制。控制住别人，你就掌握了权变的主动权。被别人控制，你的命运就掌握在别人手中了。由此而论，圣智之人做事总是暗中用手脚，愚蠢的人才在明处咋咋呼呼。因而圣智之人做起事来就容易，愚蠢的人做起事来就难。由此可见，那些愚人做的注定要灭亡的事物是无法挽回失败而让它继续存在的；他们造成的危急局势也无法使之转危为安。圣智之人做事表面上好似没有什么道道，实际上暗中早已使足了智谋。用智，就要用在一般人不能知道的地方，就要用到一般人看不到的地方。运用计谋时，看到可以成功，就选取一些事自己去做；看到不能成功，就选取一些事让别人去做。所以说古代的君王都是隐秘而行事治世的。常言道：天地化生万物，在于其高大与深厚；圣智之人处世的诀窍，就在于他们善用隐藏不露的手段。圣智之人处世决不被忠信仁义等戒条束缚手脚，只不过做事不要太过分罢了，其主要是维护不偏不倚，适中的正道而已。能够明白这种道理的人，策士们才值得与他议事。能够掌握这种道理的人，策士们才可以和他设计各种计谋，远近的人都可以得到教化。

【为人处世】

以柔克刚——孝庄太后滴水穿石

中国人为人处世讲究方圆之道，讲究以柔克刚，而“柔”的做人智慧不仅仅是一种退让，还是一种审时度势，一种宽容的态度。只有恰当地运用和把握“柔”的尺度，“以柔为谋”，才能成为最后的胜利者。

清初的孝庄皇后就是一位深知以柔克刚精髓的女人。

皇太极因病猝死——前一天还如平素一样忙碌一天，晚上却离世，“储嗣未定”。当时有希望继承皇位的主要有三个人：皇太极长子豪格、第九子福临和皇太极十四弟多尔衮。前后两者都手握重兵，实力不俗。只有中间的福临，虽然颇得皇太极的宠爱，但只有六岁，缺乏实力。八旗中，支持豪格和多尔衮的各占三旗，剩下的两旗则比较中立，只强调支持先帝的儿子，至于哪个儿子倒无所谓。

豪格与多尔衮两个集团在继承人会议上剑拔弩张，互不相让。最终有个折中方案出来：让福临即位。鹬蚌相争，渔翁得利，幼小的福临不费吹灰之力登上帝位。

而多尔衮毕竟势力强大，且对于皇位非常向往。由于他在诸王大会上首倡立福临，格局一成，便难以推翻了。虽然他是摄政王，掌握大清军政大权，一人之下，万人之上，但毕竟没有遂其所愿，还是一种缺憾。因此，他对于孝庄母子来说一直是个威胁，于是孝庄只得以柔克刚，隐忍、退让，委曲求全。她不断给多尔衮戴高帽、加封号，以不使多尔衮废帝自立。因此，从“叔父摄政王”到“皇叔父摄政王”，乃至“皇父摄政王”，最后，她不得不以太后的身份下嫁多尔衮，福临称多尔衮为“皇父”，诸臣上疏称“皇父摄政王”。遇到元旦或者其他庆贺大礼，多尔衮还要与皇帝一起接受百官的朝拜，这便最大限度地满足了多尔衮对皇位的野心，化解了孝庄母子的危机。否则，孝庄母子根本敌不过手握重兵的多尔衮，顺治的皇位就更是个问题了，这一切不得不说是孝庄的功劳。

可就在这场权力斗争刚告一段落时，孝庄又陷入家庭矛盾的旋涡中。

满蒙联姻，是清太祖努尔哈赤在位时定下的国策。因为，清帝国的建立，蒙古八旗也立下汗马之功，蒙古王公在清廷政治生活中，一直是一股倚为股肱的力量。为了确保这种关系代代相传，也为了保持自己家族的特殊地位，福临即位不久，孝庄就册立自己的侄女博尔济吉特氏为皇后。待福临亲政，就大礼完婚，正中宫之位。自古帝王婚姻，总是带有明显的政治色彩，个人的喜好与感情则是次要的。而福临恰恰缺乏一种胸怀，他更多地以自己的好恶来对待这种关系。他的皇后博尔济吉特氏聪明、漂亮，但喜欢奢侈，而且爱嫉妒。本来，作为一个贵族出身的女子，这些并不是什么大毛病，但福临却不能容忍，坚决要求废后另立。这个未成年的皇帝性格十分执拗，尽管大臣们屡次谏阻，他仍然坚持己见，毫不退让。

顺治十年（1653 年）八月，孝庄拗不过儿子，只好同意，皇后降为静妃，改居侧宫。为了消除这一举动可能带来的消极政治影响，孝庄又选择蒙古科尔沁多罗贝勒之女博尔济锦氏进宫为妃。但福临对这位蒙古包里出来的漂亮姑娘同样不感兴趣，反而如痴如醉地恋上了同父异母弟博穆博果尔的福晋董鄂氏。博穆博果尔经常从军出征，董鄂氏出入宫苑侍候后妃，与福临相识并坠入情网。孝庄察觉出这一危险的苗头，立即采取措施，宣布停止命妇入侍的旧例，同时赶紧给儿子完婚，博尔济锦氏成为第二任皇后。但这一切并不能阻止福临对董鄂氏的迷恋。为了获得更多接近董鄂氏的机会，顺治十二年（1655）二月，福临封博穆博果尔为和硕襄亲王。后来，博穆博果尔得悉其中内情，愤怒地训斥董鄂氏。这事被福临知道，他打了弟弟一耳光，博穆博果尔羞愤自杀。

宫中发生了这种事情，传扬出去自然是不光彩的，孝庄悄悄地处理了这件事：博穆博果尔按亲王体例发丧，二十七天丧服期满，董鄂氏被接入宫中，封为贤妃。一个月后，又按儿子的意愿，晋封她为皇贵妃。后来，董鄂妃病逝，顺治帝也追随而去。孝庄便扶植八岁的玄烨登上皇位，是为康熙帝。

孝庄在辅佐皇子的路上，以柔克刚，委曲求全，终于换来了大清的几百年基业。她运用自己的智慧，在钩心斗角的宫廷中，揣情度意，出谋划策。把鬼谷子说的“故变生事，事生谋，谋生计，计生议，议生说，说生进，进生退，退生制。因以制于事。”付诸实施。以不变应万变，沉着冷静，是成大事情的根本。万物相生相克，刚劲的东西不一定要用更刚劲的征服，有时最柔软的事物才恰恰是它的弱点。老子曾说：“天下莫柔弱于水”。天下再没有什么东西比水更柔弱了，而攻坚克强却没有什么东西可以胜过水。水最为柔弱，但柔弱的水可以穿透坚硬的岩石。孝庄太后虽然是一个女流之辈，以其特有的圆转柔滑，委曲求全，牺牲了太多，但是，她的坚忍，她的沉着镇定，她的弱中带刚，也彰显了自己的伟大。

【管理谋略】

假戏真做——蔡锷虎口脱险

假戏真做并不是一件让人觉得难堪的事，一旦到了生命的危急时刻，放下面子保住脑袋才是头等大事。

在人际交往当中，一些人善于假戏真做以取得他人信任，从而轻松地达到了自己的目的。蔡锷便是一位假戏真做的高手。

蔡锷早年留学日本，回国后参加编练新军。1911 年初至云南，任新军第十九镇三十七协协统，与同盟会会员多有联络。武昌起义后，与李根源等发动新军起义，初任总指挥和云南军政府都督兼民政长，曾协助贵州和四川独立。民国初年参与组织统一共和党，并对省政有所兴革。

袁世凯镇压了革命党人的“二次革命”之后，开始做起了皇帝梦，要在中国恢复帝制。他复辟帝制的倒行逆施激起了全国人民的无比愤慨，全国人民群起讨伐。其中最早举行大规模武装讨伐的就是云南蔡锷等领导的护国军起义。为了组织和发动这场倒袁的起义斗争，蔡锷与袁世凯斗智斗勇，充分体现了他在处世上的韬晦谋略。

二次革命期间，蔡锷对交战双方表示中立，还曾拟联合黔、桂两省作为中间人，主张两方停战，凭据法理解决。对蔡锷的这些举动，袁世凯深为嫉恨，就将蔡锷召入北京，实际上是牵虎入笼。

蔡锷明白袁世凯的意图，自从入京以后，他自敛锋芒。袁世凯依然不放心，想把蔡锷困在京城，便委蔡锷以“重任”，先任将军府将军，再任全国经界局督办，并选为政院参政。蔡锷不动声色，这样一来，倒弄得袁世凯莫名其妙。

一日，袁世凯召蔡锷到总统府，议论恢复帝制一事。蔡锷道：“我原先是赞成共和的，但是二次革命以后我才知道，这么大的中国，没有一个皇帝是统治不了的。现在总统有这个意向，那是太好了，我第一个表示赞成。”狡猾的袁世凯反问道：“你说的当真吗？为什么南京、江西变乱时，你却要做调解人，帮他们讲话呢？”

蔡锷立即回答道：“此一时、彼一时，那时我远驻云南，离北京太远，长江一带又多是国民党势力范围，恐投鼠忌器，不得不违心地做中间人，还请总统原谅。”蔡锷解释得合情合理，袁世凯听了，十分满意。从此以后，蔡锷为了保全自身便主动与那些为帝制摇旗呐喊的大小人物打成一片，宣扬帝制。

一天，蔡锷与一帮乌合之众又谈起帝制。蔡锷附和道：“共和两字，并非不良，但我国国情、人情，却不适合共和。”宣扬帝制的筹安会的大头目杨度立刻应道：“蔡锷兄，你今日方知‘共和’二字的利害吗？”蔡锷不敢怠慢，赶紧道：“俗话说得好：‘事非经过不知难。’杨大人还不肯谅解蔡某人吗？”杨度不甘罢休道：“你是梁启超的高足，他最近做了一篇文章驳斥帝制，你却来赞成帝制，岂不是背师判道吗？”

蔡锷笑道：“师生也是人各有志。以前杨大人与梁启超同是保皇派的，为什么他驳斥帝制，你偏又办起筹安会？今天你诘责我，我倒要问问老兄，谁是谁非？”杨度讨了个没趣。杨度不甘心，红着脸拿出一张纸，递给蔡锷道：“你既然赞成帝制，就应该参加请愿，何不签个大名？”

蔡锷十分爽快：“我在总统面前已请过愿了，我签个名儿，有何不可？”遂提起毛笔，信手一挥。大家见他这般爽直，疑心荡然无存，个个拍手叫好。而此时，蔡锷正寻找着虎口脱身的机会。为了能再让袁世凯消除对他的疑心，蔡锷脱掉他那身戎装，去妓院寻花问柳。想不到，蔡锷在妓院结识了有胆有识、闻名京城的小凤仙。

为了把戏演得更真，蔡锷特地让小凤仙备了一桌酒菜，邀请了袁世凯的爪牙喝酒。几杯酒过后，蔡锷扬言要与妻子离婚，娶小凤仙为妻。那些人对蔡锷深信不疑，纷纷报告袁世凯。再看蔡锷，整天在小凤仙那儿转来转去，一副神魂颠倒的模样。为了让袁世凯彻底放松警惕，蔡锷与夫人上演了一场假离婚风波。

一日清晨，蔡锷趁袁世凯还没有起身就赶到总统府，要求见袁世凯，待侍官说总统未起，他又故作懊恼，说道："总统起来后，请立即打电话给我。"说完便回家去了。袁世凯起来之后，听到禀报：蔡将军在家中与夫人殴打，摔坏了好多东西。袁世凯立即派人前去调解。只见蔡夫人披头散发、泪流满面地躺在地上，被摔坏的东西乱七八糟散了一地。蔡锷在一旁自顾自地骂着。袁的手下进行了一番劝解，蔡锷火上浇油，骂得更凶。哪知蔡夫人也是毫不示弱，当即回娘家去了。

袁世凯闻之，终于彻底放心，与儿子袁克定道："我看蔡锷有才有干，可办大事，谁知他尚不能治家呢！我可高枕无忧了。"蔡锷见袁世凯放松了对他的监视，于是暗中与梁启超策划反袁，寻机脱身。

1915 年 11 月初，蔡锷以去天津看病为由，在小凤仙的巧妙配合之下，设法躲过了北洋警探的跟踪，绕道日本、中国台湾、中国香港、越南，于 12 月 21 日偕同戴勘等人秘密到达昆明。蔡锷终于虎口脱险，不久即和唐继尧组织护国军讨袁。

袁世凯生性狡猾，耳目甚多，为了消除袁的疑心，蔡锷先是与袁世凯的狐朋狗友打成一片，加入宣扬帝制的筹安会当中，让袁世凯及其爪牙认为其棱角已磨去。再到妓院"鬼混"，不问政务，直至"休"了结发之妻。这番假戏真做，天衣无缝一般。蒙住了袁世凯的眼睛，保护了自己，而且以此求得了反击的机会和时间，一旦时机成熟，蔡锷便进行了反扑，完成了自己的护国运动。

《谋篇第十》说："高而动之，微而证之，符而应之，壅而塞之，乱而惑之，是谓计谋。"闭塞他的耳目，打断他的视听，迷惑他的心智，这样的计谋可谓之高明。假戏真做的关键就是要迎合对方，装傻充愣，解除戒心，投其所好，要学会表现出自己没有野心，即使有一点儿小野心也不可能对其构成威胁，这时你就能达到自己的目的了。

【商战博弈】

把握先机——高德康识时造英雄

高德康还清晰地记得二十多年前，一个人拿着扁担，背着货包拼命地挤上上海公交车，然后又被骂着“乡巴佬”狠狠地推下车的情景，“那是我最难熬的事情之一”。想必，那个当时将高德康推下车的上海人不会想到，这个当时一身臭汗的外乡人，日后会成为享誉全国的羽绒服大王。

很多人曾经问高德康，到底是怎么从一个一穷二白的穷小伙子变成现在的亿万富翁的，高德康只是笑笑，“我没有什么秘诀，只是善抓机遇而已。”“善抓机遇”并不简单，首先要做的，是成为一个有心人。进入让他飞黄腾达的羽绒服行业，就得益于他的有心。

最开始，还是小人物的高德康靠给别人贴牌制衣经营服装厂，在这个过程中，他渐渐发现了羽绒行业的巨大商机，而这还得益于他的逆向思维。

20 世纪 80 年代，羽绒服市场并不被人看好，它臃肿肥大，样式老旧，当时最流行的是皮夹克，很少有人将注意力放在其貌不扬的羽绒服上。但高德康却觉得，老百姓现在的生活还不是特别富裕，不可能人人买得起一件时髦的皮夹克，而物美价廉的羽绒服却是能够买得起的。虽然是季节性服装，但需求量大，只要再稍微改动一下，市场前景还是非常广大的。

说干就干，他在一边继续做贴牌生意的同时，一边学习研究羽绒服的生产技术，几年间，就成为这个行业里的行家里手，并一举向还处于空白状态的市场推出了自己的产品，获得了极大利润。第一年的利润就是 100 万，第二年飙升到 700 万。

抓住了潜在利润点，高德康的企业发展越来越好，他就萌生了创建自己品牌的想法，而如今享誉全国的波司登就在此时诞生。

高德康以前给别人加工的服装品牌叫“秀士登”，据说是那家公司的老板根据美国“休斯敦”的谐音起的。高德康灵机一动，“我能不能也来一个谐音呢？”恰好，他想起美国有个城市叫“波士顿”，那是个极其寒冷的城市，“不然就叫‘波司登’吧”。

一是因为谐音，一是表达了有朝一日自己的产品打入那个城市的梦想。品牌创立，高德康就加大马力生产，在当时那个供不应求的市场，波司登成了畅销名牌，品牌设立的当年，公司就赢利2500万。

此时，高德康身上渐渐显露出企业家的模样，最初的艰苦、寒酸已不见了踪影，他拥有的是满腔的热情和创业的信心，而如果没有他对机遇的发掘和把握，怎么会有他的千万身价？

“商场上的机会稍纵即逝，你不抓住它，它就会悄悄溜走。”

大概，这就是高德康创业初期取得成功的原因。

谁知好景不长，意识到羽绒服业巨大的利润后，厂家纷纷跟进，市场慢慢由之前的供不应求变为供大于求，整个行业里的企业大面积陷入亏损。高德康的日子也不好过，23 万件产品只卖出 10 万件，还有 2000 万的存货积压在仓库里。此时，银行又不停地催还 800 万贷款，危机第一次降临到高德康的身上。

“怎么办，波司登就这么完了吗？厂里还有好几百号人吃饭呢，他们怎么办？”

当时，如果高德康不是一家企业的老总，肩负着那么多人的吃饭问题，他可能会选择跳楼一了百了。但一个品牌已经建立起来，他知道他不能撒手不管。他一直在做准备，即使在看似希望全无的情况下，也随时想着怎样将自己的产品卖出去。

成功的人，不仅是能在没有危机的状态下把握机遇的人，更是能在危机中随时准备脱颖而出，拯救自我的人。高德康就是这样的人。

市场寒冬突然来临的那一年，高德康有一次去美国考察，行进途中，他接到了王府井百货大楼负责人的电话。

“我们想进一批你的货，今年 6 月底甩卖。”

甩卖的意思就是低价进购，时至今日，高德康还记得看好的价格：短款的 180 元一件，中款的 200 元一件，长款的 220 元一件。但是，他顾不了那么多了。他只记得王府井百货大楼的负责人跟他说："今天你不来，我就请别人了。"去，无论如何也要去。

多年之后，当高德康想起这件事的时候说："这是个机遇，机遇总是光顾那些有准备的人，而我是个善于抢占机遇的人。"

回国之后，他马上给王府井百货大楼运去 2.5 万件，销售额突破 500 万，沈阳中信也为高德康代销了 300 余万元的产品。在一轮紧张的代销中，波司登还上了千万元贷款，却还有大笔赤字。虽然在外人看来这是一笔赔本的买卖，但高德康却认为推广了品牌。

为了在危机中彻底翻身，他仔细研究了现有羽绒服存在的弊病：样式单调、不时髦；颜色灰暗，不亮丽；衣服材料缺乏质感等几个方面的问题。为了改变这一现象，高德康投入大批资金进行改革和设备的更新，生产出了颜色亮丽，款式时髦大方，积极轻便的新产品。

他准备放手一搏，功败垂成在此一举了。

新产品投入市场的前夜高德康极度紧张，他甚至罕见的出现失眠。但市场的反应却出人意料的好。在这一年，新版波司登的销量突破 60 万件，销售额超过 2 亿元。从此，一仗翻身的波司登成为国内羽绒服行业的领头羊，而它的创办者高德康，也跨入亿万富翁的行列。

鬼谷子《谋篇第十》认为："事贵制人，而不贵见制于人。制人者，握权也；见制于人者，制命也。"做事贵在有掌控力，把握先机，控制别人，也就掌握了事情的主动权；反过来，被别人控制，你的命运掌握在别人的手中，又怎么能够把握先机呢？

俗话说："时势造英雄"。我们在高德康身上看到的是"识时造英雄"。只有认得时机，抓得住时机，才能成为行业里的领军者。错过一个机遇就是错过了一个潜在的改变命运的机会，成功者都是"视机如命"的人。

【职场之道】

把握先机——真正的进步是比别人快一步

有一个故事，说的是一个农夫头一年挣了十两银子，买了一头牛，他计划第二年埋头苦干，挣一百两银子，再买十头牛，那样，他就可以搞一个小型养牛场了。第二年，他果然挣到一百两银子了，可是，牛也大幅度涨价了，一百两银子连半头牛都买不到了。

这个故事告诉我们，所谓的"现状"是不存在的，整个世界是在不断向前发展的。你停下来，别人仍在前进；你前进，别人比你前进得更快。要想在激烈的角逐中占据主动，就应当比别人跑得更快。

每天当太阳刚刚升起，隔夜的露珠还没有消失时，羚羊、狼群、狮子，还有大草原的其他动物们就已经开始了一天的奔跑。最先跑起来的是羚羊。它们成群结队地跑过平缓的山冈，找到水源，在短暂的休息之后又开始新的奔跑。就在它们不远的地方，也许就在附近的草丛里，狼群也在奔跑。它们的奔跑是为了羚羊。当狼群开始奔跑的时候，狮子也开始了奔跑。它必须赶在狼群之前找到一日的早餐，否则，今天可能又是一个忍饥挨饿的日子。

这是每天发生在大草原上的一幕，每天都在上演的奔跑比赛。没有任何外在的力量在导演这一切。它们奔跑完全是来自内心的驱使——要么生存，要么死亡。

"让自己跑起来"是自然界恒久不变的生存法则。看完上面一则简单的生物寓言，我们就会明白在职场上为了生存，人们也必须像大草原上的动物一样，要"让自己跑起来"。

职场是一个永不闭馆的竞技场，每天都在进行着淘汰赛。就像草原上每天都要上演的追逐赛一样，只有"让自己跑起来"才能生存，也只有跑起来的动物才能获得比同类更好的生存环境，不管是主动攻击的动物还是被攻击的动物。在当今职场上，被动是很容易被淘汰的，一个人要摆脱职场上的生存危机，使自己不被优胜劣汰的自然规律所打败，就要善于寻找自己能力上的突破点，快速地突破停滞，让自己尽快地优秀起来，不断进步，只有这样才能让自己保持持续的竞争力。

A 公司是一家中型的广告公司，设计部是两男一女的格局。平日里，三个人总是能够在繁忙的工作中找到偷闲的机会。例如，聊聊电视剧，或者是商场里最新的打折信息等等，就这样，三个人也过得优哉游哉。

一天，上司领着一个稚气未褪的男孩走进了他们的办公室，向他们介绍他们设计部的新同事，应届大学毕业生林。林来到设计部上班，就像每个新人一样默默无闻、勤勤恳恳地工作着。早上，“元老”们还没到，林就开始打扫办公室。设计部有很多需要跑腿的活儿，以前设计部的人都不情不愿的，“三个和尚没水喝”，总是以猜拳的方式来选举谁是那个“倒霉蛋”。但是现在，不用言语，林早就揣起文件，送往有关部门。而当林跑前跑后的时候，“元老”们按照“惯例”，又将话题扯到美国占领伊拉克的热点新闻上去了。每当下班的时候，“元老”们都会迫不及待地奔出公司，而林则毫无怨言地收拾着遍地狼藉的办公室。“元老”们还打趣说，“新人都是活雷锋”。

没多久，老总开会说设计部是公司的重心，要适当扩容，还要选出一个设计部部长。涉及各自的前途，平时人浮于事的那几个老职员，渐渐地收敛了许多，都想在老总面前留个好印象，以赢得升迁的机会。然而，不久，人选已经张贴在办公室外的公布栏了，是林后来居上了。

林在上任致辞时说，你们都以为新人做什么都是应该的，新人仿佛就是活雷锋，你们错了。当今职场就是战场，升迁的机会是靠自己把握的。判断自己是在进步，还是“明进暗退”，不能老和自己的过去及不如自己的人相比，而是应当和最优秀的人和进步最快的人相比。假如每一个竞争对手都用 9 秒跑完 100 米，你虽然比过去加速了，但你花了 10 秒，你仍然是最落后的一个。这就要求我们

要树立一定的危机意识，一定要比别人进步，得更快才能在未来的竞争社会中争取主动。

《鬼谷子》说："智者事易，而不智者事难。"聪明的人做事善于动脑筋，想办法，这样做事情才会容易成功。不聪明的人做事情，不善于动脑筋想办法，做起事情来就会难以成事。做事情争取主动就是一种"谋略"，是为了达到自己的目的而做的准备。林作为一个新人，知道自己的劣势，懂得权衡利害关系，更懂得因事生谋，谋定而后动，主动承担一些看似不起眼的事情，从而得到了领导的提拔。

可是，在我们的周围，到处可以看到这样的人：他们只有在形势所迫时才去工作，遇到事情总是敷衍塞责，宁愿待在原地也不肯花点儿心思向上攀登，就这样敷衍了事，浑水摸鱼，过一天算一天。他们永远不懂得要比别人进步得更快的道理，不谋求上进，只会为自己寻找各种理由和借口，无休止地纵容自己拖延和懒散的习惯，这样，他们渐渐就失去了自己的优势，逐渐处于被动局面。最后，只能眼睁睁地看着自己的"后辈"拿着硕士文凭、博士文凭意气风发地加入同自己竞争的行列中，使自己心跳加速，血压升高，陷入永远也不会消失的"本领恐慌"之中。

决篇第十一

经典再现

摘要

本篇主要论述决断正错的利弊以及决断的各种方法。“决”，即决断、决策。做决断不仅是一种选择，更是一种考验。正所谓：“当断不断，反受其乱。”可见，决断是成败的关键，关乎游说策士们的前途命运。

《鬼谷子》认为：凡为他人决断事情，都牵扯到一定的利害关系。趋利避害则是人之常情，也是游说策士们遵循的主要原则。针对这一现实情况，鬼谷子提出了“度之往事，验之来事，参之平素”的决断方法。

因此，用“决术”解决问题时，应鉴古观今，确定疑难，三思而后决。不仅要勇于决断，更要当机立断。

原文

（一）

凡决物①，必托于疑者②，善其用福③，恶④其有患。善至于诱⑤也，终无惑偏⑥。有利焉，去其利则不受⑦也，奇之所托⑧。若有利于善者，隐托于恶⑨，则不受矣，致疏远。故其有使失利者，有使离⑩害者，此事之失。

注释

①决物：决断事物。

②疑者：此指决疑者。

③善其用福：以其用有福为善，喜欢你做出的决策给他带来好处。

④恶：厌恶，讨厌。

⑤诱：诱导对方透露出真情。

⑥惑偏：迷惑和偏颇。

⑦不受：指决疑的委托者不接受你的决策。

⑧奇之所托：以所托为奇，奇怪当时为什么找你决疑。

⑨于善者隐托于恶：把使他喜欢的决策寄托在使他厌恶的形式中，即所做决策实质上对他有利而表面上对他有害。

⑩离：通罹，遭受。离、罹古通。

译文

凡是为他人决断事物，一定是因为受托于有了疑惑的人。一般来说，人们喜欢做出的决断给他带来好处，不希望决断失误而招致祸患。因此，决疑的人要善于诱导对方，使他讲出自己的真实心愿和一切情况，以消除我们的迷惑和偏见，才能加以判断，做出令他满意的决策。决策必须给对方带来利益，否则，没有这种利益他就不会接受我们的决策，就会后悔当初委托我们来决策。另外，做出的决策确实能给他带来好处，但你若把这种利益隐藏在对他不利的表面形式中，他也不会接受你的决策，彼此的关系也会疏远。所以说，替人决策时，若这种决策不会给对方带来利益，甚至会使对方遭到损害，就是一种失误的决策。

原文

（二）

圣人所以能成其事者，有五：有以阳德之[1]者，有以阴贼之[2]者，有以信诚之[3]者，有以蔽匿之[4]者，有以平素之[5]者。阳励于一言[6]，阴励于二言[7]，平素[8]、枢机以用。四者，微[9]而施之。于是度[10]之往事，验之来事[11]，参[12]之平素，可则决之。王公大人之事也，危而美名[13]者，可则决之；不用费力而易成者，可则决之；用力犯勤苦[14]，然不得已而为之者，可则决之；去[15]患者，可则决之；从福者，可则决之。

【注释】

①以阳德之：用表面手段去感化，去怀柔。

②以阴贼之：用阴暗手段去残害。

③以信诚之：以信用与对方结成真诚联盟。

④以蔽匿之：用假言蒙蔽对方。蔽，蒙蔽，此指虚假情况。匿，藏，引申为蒙蔽、迷惑。

⑤以平素之：用平常手段按一般化的程式解决问题。

⑥阳励于一言：阳德手段以始终如一为追求目标。励，尹曰："勉也。"引申为追求的目标。一言，一种言论，此指言行前后一致。

⑦阴励于二言：阴贼手段以真真假假为特征。二言，两种言论，此指前后言行不一，真假难辨。

⑧平素：平时，平常。枢机：关键，引申为特殊手段。

⑨微：暗中。

⑩度（duó）：推度，度量。往事：历史。

⑪来事：将来，未来之事。此指事物的发展前景。

⑫参：参验。平素：平常。此指目前情况、形势。

⑬危而美名：虽然危险，但可以用来博取美好名声。

⑭犯勤苦：做出艰苦努力。犯，触犯，劳用。

⑮去：除去，除掉。

【译文】

圣智之人之所以成就事情的手段有五种因素：有的用表面手段感化、怀柔，有的暗使手段加害对方，有的做出诚信的姿态与对方结成真诚的联盟而借用对方力量，有的用蒙蔽手段迷惑对方，有的却用一般化的手段按平常程式解决问题。使用"阳德"手段时要前后如一，要讲信誉，言行必果。使用"阴贼"手段的人则真真假假，令人摸不透，千方百计地使人受骗。平常手段再加上关键时刻运用的"信诚""蔽匿"手段和阴、阳两手，这四种手段在暗地里交互运用，一般问题都可解决。于是，在决断事情之时，可以通过过去的经验来衡量，以未来事情的发展趋势、征兆来验证，用平素的现实状态来参考佐证。如果可以实行的话，就做出决断。给王公大臣谋划事情，如果那事情高雅而能获得美好的声誉，虽然有危险因素，但我们可以用来博取美名，就做出决断。不用耗费大的气力精力就容易获得成功的，若可实施，就做出决断。用精力、气力太大，需要做出艰苦努力，但又非做不可的，若可实施，就做出决断。能除去祸患，若可实施，就做出决断。能得到好处，追求幸福的事情，只要能实施，就做出决断。

【原文】

（三）

故夫决情定疑，万事之基①，以正治乱，决成败，难为者。故先王乃用蓍龟②者，以自决也。

【注释】

①基：根基，基础。此指解决问题的起点。

②蓍龟：蓍草和龟卜。蓍，多年生草本植物，古人用其茎占卜，称作蓍草之筮。

【译文】

所以，决断事件，解决疑难，是任何问题的解决起点。用它可以来整顿朝纲、治理百姓，可以来决定成败、断决疑难，这是非常难做到的事情。所以，即使是圣明的上古皇帝，用也要蓍草筮和龟甲卜来占卜，从而帮助他们自己做出正确的决断。

【为人处世】

适时装傻——刘备和曹操“青梅煮酒”

“安身守命以待天时，不可与命争也”，这其中或多或少地含有一些宿命的色彩，但我们也能看到一种气定神闲的潇洒与从容。面对劲敌，我们不能强攻硬拼，唯有“安身守命以待天时”。这不是一种消极的等待，而是一种积极的守候。

刘备，字玄德，涿郡（今河北省涿州）人，汉景帝之子中山靖

王刘胜的后代，为三国蜀汉开国君王，谥号昭烈帝，史称刘先主。东汉灵帝末年，与关羽、张飞一道讨黄巾贼有功，遂为县尉。密诛曹操不成，潜逃。三顾茅庐始得诸葛亮辅佐。后与孙权联合大败曹操于赤壁，取得益州与汉中，自立为汉中王。公元 221 年，于成都即位称帝，国号“汉”，年号“建章”，史称“蜀汉”。

建安三年（198 年），刘备跟随曹操成功消灭吕布后，还都许昌。刘备被封为左将军，曹操对其礼遇有加，出则同车，坐则同席。曹操在许田围猎时，故意表露自己篡位的意图，以试探臣下的心态。当时所有人敢怒不敢言，只有关羽年轻气盛，“提刀拍马便出，要斩曹操”，刘备“摇手目送”，拦住关羽，还不无讨好地对曹操说：“丞相神射，真是世间罕见啊！”

卑怯的汉献帝对曹操很不满，却又奈何不得，最后偷偷割破手指头写了道密诏，然后藏在腰带中交给了岳父董承。董承一心想解救这个可怜的女婿，把刘备也拉入了他的谋变团伙中。刘备一边跟着董承策划谋杀，一边心惊胆战地开始在后园里种菜。曹操是何等精明又何等多疑之人啊，他想刘备这样的人怎么突然种起菜来了，可见刘备心中必有什么大计划。于是，趁着梅子青黄，曹操特意带着人马到刘备的菜园子里邀请刘备一起喝酒。刘备知道曹操来者不善，便小心应对。

酒至半酣，忽然间天色阴沉，乌云密布，一副大雨将至的样子。随从看到了远处的龙卷风，便指给曹操和刘备看。二人远远地望去，这时，曹操说：“玄德公知道龙的变化吗？”

刘备说：“备孤陋寡闻，不太清楚。”

曹操说：“龙能大能小，能升能隐。大的时候吞云吐雾，小的时候隐藏行踪；升的时候飞腾于宇宙之间，隐的时候潜伏于波涛之内。现在正是春天，龙便借着时节开始变化了，就像人得志的时候便纵横于四海一样，龙就好比是人世间的英雄。玄德你在四方游历闯荡了那么久，一定知道当今世上的英雄有哪些吧，请说说看吧！”

刘备一听这话，便知道曹操有心试探他，于是谨慎地说：“备肉眼凡胎，哪能看得出谁是英雄呢？”

曹操见他推辞，便接着说：“你也不用太谦虚了。”

刘备说：“备承蒙圣上庇佑，才能入仕为官，替皇上分忧。天下间的英雄，我实在是不知道。”

曹操也不松口，说：“即使没有真的见识过，至少也听说过一些吧！”

刘备见曹操逼得紧，无法推托，只好说：“淮南的袁术兵多将广，粮草充足，可以算得上是英雄吧。”

曹操笑着说：“他就像是坟墓中的枯骨一样，我早晚会擒获他的。”

刘备又接着说：“那河北的袁绍，如今又盘踞于冀州，部下能人异士众多，总可以算是个英雄了吧。”

曹操又笑道：“袁绍外表虽然强硬，内心却很懦弱；有谋略，但优柔寡断；干大事情的时候看重自己的生命，见到小利益的时候反而不顾虑自己的性命。他不是英雄。”

刘备又说：“刘景升名称八俊，威镇九州，他可是英雄？”

曹操说：“刘表徒有虚名，而无实力，不是英雄。”

刘备说：“孙伯符血气方刚，统领江东，他可是英雄？”

曹操说：“孙策依靠的只不过是他父亲的名声，也不是英雄。”

刘备说：“刘季玉、张绣、张鲁、韩遂这些人怎么样呢？”

曹操说：“刘璋虽然贵为宗室，也只是一条看门狗而已，其他的几个都是碌碌无为的小人，哪里算得上英雄！”

说了这么多，刘备唯独没有提参加了董承联盟的马腾和他自己，而且还假装为难地说：“除了这些人之外，我真的就不知道了。”

曹操说：“所谓的英雄，要胸怀大志，内有计谋，有包藏宇宙之机，吞吐天地之志。”

刘备说：“那谁可以称得上是英雄啊？”

曹操先指指刘备，又指指自己，直言道：“当今天下称得上英雄的，只有你与我！”

刘备听了大吃一惊，心中咯噔一下，手中的筷子不小心掉在了地上。刚好这时雷声大作，刘备慌张地弯腰捡起地上的筷子，说：“这

个雷声太吓人了，才会一不小心掉了筷子。”

曹操笑道：“大丈夫还会畏惧雷声吗？”

刘备说：“品德高尚的人听见打雷、刮风都会被惊动，我怎么会不害怕呢！”

曹操心里暗想，像他这样连雷声都怕的人怎么可能是英雄呢，看来是我多心了。从此以后，便不再怀疑刘备了。

刘备作为蜀汉的开国君王，他在寄人篱下，还不具备与曹操对抗的实力的时候，巧妙地隐藏了自己的意图和志向。他每日坚持不懈地种菜，让曹操不知道他“葫芦里卖的是什么药”；他提到众多当时闻名的人物，却将自己排除在外，让曹操以为他胸无大志；他凭借自己过人的演技，巧借雷声掩饰了自己被曹操说中后的破绽，还让曹操以为他是一个胆小怕事之人。他的这些行为，给曹操提供了一些错误的信息，最终使曹操放松了对他的戒备，也成就了后来的蜀汉。

懂得权衡利弊，我们称之为“谋”；能够最终做决定，则是“断”。刘备随谋即断，把自己放得低一点儿，再低一点儿，表现出一种大智若愚的样子。在曹操面前“装傻”，还让曹操相信自己是“真傻”，最终全身而退，为自己赢得了机会。

【管理谋略】

合理决策——知止的人生智慧

对有智慧的人说智慧，对愚蠢的人说愚蠢，用愚蠢来掩饰智慧，用智慧来停止智计，这是真正的智慧。

汉武帝晚年时，宫中发生了诬陷太子的冤案。当时，太子的孙子刚刚生下几个月，也遭株连被关在狱中。丙吉在参与审理此案时，心知太子蒙冤，他几次为此陈情，都被武帝呵斥。他于是在狱中挑选了一个女囚负责抚养皇曾孙，自己也对其多加照顾。

丙吉的朋友生怕他为此遭祸，多次劝他不要惹火烧身，并且说："太子一案，是皇上钦定，我们避之尚且不及，你何苦对他的孙子优待有加？此事传扬出去，人们只怕会怀疑你是太子的同党了，这是聪明人干的事吗？"

丙吉脸现惨色，却坚定地说："做人不能处处讲究心机，不念仁德。皇曾孙只是个娃娃，他有什么罪？我这是看到不忍心才有的平常之举，纵使惹上祸患，我也顾不得了。"

后来武帝生病卧床，听到传言说长安狱中有天子之气，于是下令将长安的罪囚一律处死。使臣连夜赶到皇曾孙所在的牢狱，丙吉却不放使臣进入，他气愤道："无辜者尚不致死，何况皇上的曾孙呢？我不会让人们这样做的。"

使臣不料此节，后劝他道："这是皇上旨意，你抗旨不遵，岂不是自寻死路？你太愚蠢了。

丙吉誓死抗拒使臣，他决然说："我非无智之人，这样做只为保全皇上的名声和皇曾孙的性命。事急如此，我若稍有私心，大错就无法挽回了。"使臣回报汉武帝，汉武帝长久无声，后长叹说："这也许是天意吧。"

他没有追究丙吉的事，反而因此对处理太子事件有了不少悔意。他下诏大赦天下罪人，丙吉所管的犯人都得以幸存。

多年之后皇曾孙刘询当了皇帝，是为宣帝。丙吉绝口不提先前他对宣帝的恩德。知晓此情的他的家人曾对他说："你对皇上有恩，若是当面告知皇上，你的官位必会升迁。这是别人做梦都想得到的好事，你怎么能闭口不说呢？"

丙吉微微一笑，叹息说："身为臣子，本该如此，我有幸回报皇恩一二，若是以此买宠求荣，岂是君子所为？

后来宣帝从别人口中知晓丙吉的恩情，大为感动，夜不能寐，敬重之下，他封丙吉为博阳侯，食邑一千三百户。

神爵三年（公元前 59 年），丙吉出任丞相。在任上，他崇尚宽大，性喜辞让，有人获罪或失职，只要不是大的过失，他只是

让人休假了事，从不严办，有人责怪他纵容失察，他却回答说："查办属官，不该由我出面。若是三公只在此纠缠不休，亲力亲为，我认为是羞耻的事。何况容人乃大，一旦事事计较，动辄严办，也就有违大义了。"

丙吉性情温和，从不显智耀能，不知情者以为他软弱好欺，并无真才实学，他也从不放在心上，也不会因此改变心意。

一次，丙吉在巡视途中见有人群殴，许多人死伤在地，丙吉问也不问，只顾前行。看见有牛伸舌粗喘，他竟上前仔细察看，很是关心。他的属官大惑不解，以为他不识大体，丙吉解释说："智慧不能乱用乱施，否则就无所谓智慧了。惩治狂徒，确保境内平安，那是地方长官之事，我又何必插手亲自管理？现在正是初春，牛口喘粗气，当为气候失调，如此百姓生计必定会受到伤害，这是关系天下安危的事，我怎能漠视不理？看似小事，其实是大事，身为宰相，只有抓住要领，才能不失其职。"

丙吉的属官恍然大悟，深为叹服。那些误解丙吉的人更是自愧不已，暗自责备自己的浅薄和无知。

鬼谷子在《决篇第十一》说："有利焉，去其利则不受也，奇之所托。"合理决策会给人带来利益，没有利益他人就不会接受我们的决策。丙吉明白"止"的深刻内涵。

作为一种大智慧，"止"绝不是简单的停止无为。它是一招因时而变、出奇制胜的妙法，也是深合事理、退中求进的处世哲学。对于只知冒进、急功近利者，"止"的运用就尤显珍贵。纵观无数失败者的症结，他们所共缺的不是智慧，就能说明这一点。一个人只要到了能克制智慧，潜藏智慧，进而慎使智计的境界，他的智慧才是最无缺的，他才能在任何形势下应对自如，屹立不倒。

【商战博弈】

沉着稳定——包玉刚稳驾“商海”

60年前的宁波小镇上，包玉刚出生于一个小商人家庭，父亲包兆会是个小商人，常年在汉口经商，每一分钱都浸满汗水。家离海不远，包玉刚经常去看海，看船。命运似乎有某种笃定，一定就是一生。包玉刚在13岁的时候到上海读了一个船舶学校，抗日的时候被迫中断，又去银行里当小职员。1949年初和父亲携带打拼数年的积蓄来到香港，自此踏上航海业的征程。在1949年到1978年间，包玉刚用不到三十年的时间在一条破船上成长为享誉世界的船王。此中艰辛常人难以理解。

20世纪70年代，全球爆发石油危机，航运业却迎来了自己的辉煌期，多少人都想在油桶里捞上一把，包玉刚的船队就搭上了顺风车。船队的订单络绎不绝，拉出去的是石油，拉回来的仿佛是一船一船的黄金。

但这个在海上鏖战了数十年的老船王却没有被眼前的景象迷住双眼，他分明察觉到了一股涌动于繁荣背后的大萧条气息。此时，包玉刚的幕后财团汇丰银行恰恰更换了老板，新老板上台后烧的第一把火就是给包玉刚逐渐“断粮”。

形势有些紧急，这个久经沙场的老舵手却没有丝毫慌乱，他开始在心中慢慢布局。他先是有条不紊地减少船只，再紧紧地盯着他关注的领域。九龙仓码头，这个无数人觊觎的黄金领地进入了包玉刚的视野。作为香港最大的码头，谁掌管了它，谁就握有了香港绝大多数海上运输和存储业务。这是块谁都不会轻易放过的“肥肉”，但得到它，谈何容易？

1978年7月的一天，李嘉诚、包玉刚两人密会于香港中环文化阁一间隐蔽的房间。谈话的主题直奔九龙仓。李嘉诚打算将手中持有的2000万股九龙仓股票转让给包玉刚，包玉刚必须帮他在汇丰银

行承接和记黄埔的9000万的股票。共同的目的却是对抗盘踞九龙仓的英国财团怡和。英国财团的掌控者知道这个消息后暴跳如雷，扬言反击。一股大战前的血腥味似乎正在笼罩香港的上空。

1980年的夏天，包玉刚按原计划要进行一场环球旅行。期间，他要途经法国巴黎、德国法兰克福、英国伦敦，最后还要飞到墨西哥与墨西哥总统会面。当时的包玉刚风光满面，九龙仓争夺权已基本胜券在握。但他不知道的是，自己的这一行程已被英国财团眼线获知，英国人已经谋划周全，只待包玉刚离开香港，反击立刻上演。天平开始倾向另一方。

果然，包玉刚前脚刚到欧洲，怡和就抢购九龙仓股份。他们的目标是将自己的持股率增加到49%，包玉刚的股票只有30%，如果想超过怡和，就要在两天内筹集数十亿现金，再买入20%的九龙仓股票，他有这个实力吗？得到怡和反扑的消息后，包玉刚的女婿、自己的得力干将吴光正，马上给包玉刚打电话，告知急情。从吴光正略显惊慌的话语中，包玉刚得知此事的严重性，他先平复女婿的心境，然后详细询问整个事件的经过。英国人是在逼自己全盘收购九龙仓，但他当时根本没这个实力。吴光正说，如果他们也和英国人一样，将九龙仓的股票持有率定在49%，就会占有比较有利的位置。因为当时怡和只有20%的股票，而包玉刚则有30%，再买进20%股票的话，就可稳操胜券，整个过程如果用现金交易，优势会更大。

包玉刚当即同意此方案。但他当时手里只有5亿现金，为了筹款，便详细的做起了安排：他先是致电在伦敦的汇丰银行老板，第二天上午共进早餐，再向原本确定出席的会议和见面的人物致函道歉，说自己因个人事务不得不取消这些议程。接着，他便直飞伦敦筹款，整个过程顺利得异乎寻常，财团很快答应了包玉刚借款15亿的要求。钱的事准备妥当后，包玉刚又密电吴光正给自己订购苏黎世直飞香港的飞机票，自己则按原计划飞到墨西哥与该国总统见面，以麻痹英国人的眼线。在到了苏黎世后，他就悄悄地登上事先早已预定好的飞机，直飞香港。整个过程，包玉刚非常冷静。

回到香港后，包玉刚选择了一家平时并不常住的酒店下榻，然后立即布置收购的相关事宜。在确定怡和出价100元一股后，包玉刚决定以105元一股与之对抗，因为是现金买进，这个价格英国财团肯定无力还手。确定这点，包玉刚当天晚上就召开了新闻招待会，高调地宣布自己将再买进2000万股九龙仓股票，使自己的股份达到49%。而在解释自己怎么筹到这笔巨款的时候，包玉刚只是轻描淡写地说自己只是到当铺转了转。自此，英国财团怡和彻底被击退。

在整个九龙仓收购战中，包玉刚共动用了23亿现金，人们在不断地感叹，在这场震动世界的商业并购案中，船王是如何在如此的短的时间内筹到这些资金的？有些人说是因为他的临危不乱，也有些人认为是他的个人魅力和身后的强大财团。但不管依靠什么，有一点不可否认，包玉刚的沉稳、老谋深算在关键时刻挽救了他。联手强人、瞒天过海的出游计划、尘埃落定后的平静言语，包玉刚的商业智慧让这艘在大海上飘荡了半个世纪的大船，终于安全靠岸，续写传奇。

《决篇第十一》有文：“善至于诱也，终无惑偏。有利焉，去其利则不受也，奇之所托。”大凡决断事物，人们喜欢做出的决断带给他的好处，讨厌给他带来害处。因此，决议者要善于诱导对方，以迷惑对方的眼睛，最后做出满意的决策，以给自己带来利益。

商海，有时候波澜不惊，却又暗潮涌动，其间的博弈格局，变幻莫测，一个看似不经意的落子，可使双方易局，逆转颓势。经商如行走江湖，“稳”字经念的不是退缩保守，而是在深思熟虑谋篇布局后，决然出招制胜。如同盖世的侠客，在利剑出鞘的那一刻，胜负已然分明。当他飘然而去的时候，只能看到狼烟背后的宠辱不惊。诚如包玉刚，这个经过大风大浪的人，不会在乎这一时的波涛了。

【职场之道】

着眼长远——职场回头觅香草

很多人，常常被眼前的利益所迷惑，做出匆忙的决断，而忽视了其他利益。《决篇第十一》说："若有利于善者，隐托于恶，则不受矣，致疏远。故其有使失利者，有使离害者，此事之失。"意指做决断的本意是有利于决断者，但是没有考虑到其中隐含的不利因素，决断就不会接受，这样的决断就不利于决断者，是错误的具有灾难的决断。

三十年河东，三十年河西，如果你决定要离开现在的公司，也要给自己留条后路。留条后路，就是给自己一个机会，机会能造就一个人也能埋没一个人。在跳槽时不能将自己的后路堵死，只有这样，我们以后的路才能更宽、更广。

王山毕业后不久，得到了一份在大型物流企业销售部门工作的机会。在工作了一个星期之后，他发现顶头上司是个坏脾气的人。王山也是个性格刚直的人，想到日后可能发生的顶撞、矛盾，他苦恼起来，这时另外一家公司也向王山抛出"橄榄枝"，借着这个机会，王山跳槽了。

几个月时间很快过去，在新的工作环境，王山一直没有完全适应，他经常不由自主地为当时的选择后悔。他想找的是一个更大的发展空间，为了一个毫无意义的小问题轻言放弃，真是得不偿失。

一天，他在网上浏览求职信息时看到了那家公司的招聘信息。原来那家公司一直没有招聘到适合的人才。王山考虑再三，鼓起勇气给人事经理打了个电话，说明了现在的情况和迫切希望能在该集团工作的心情。特别强调了经过这些时日，已经想明白了自己一直以来追求的都是事业的发展空间。经理当然记得那个"高傲"的大学生，他很诧异："怎么又回来了？"王山不卑不亢地说："从个人职业发展角度看，我觉得一个好的机会是不应该随便放弃的。”

半个小时后，王山接到了聘用电话。半年后，王山以独到的谈判技巧和正确决策，迅速推进了业务发展，一战成名。

王山前后两次决断，都是出于利害关系的缘故。如果王山跳槽后，死撑着不肯回头，他的职业可能一直毫无起色。可见，好的决断对人的一生有着无法估量的作用。面对眼前的利益，一定要考虑周全，跳槽与否一定要有个清醒的认识。而且，就算跳槽，也不必与原单位一刀两断，应该给自己留条后路。

有些年轻人做事情常常不给自己留后路，特别是在换工作的时候，容易和领导大吵一架，闹得不欢而散，最后摔门而去。一时的冲动就把过去的路堵死了。已经决定跳槽时，与其处理不当留下隐患，倒不如豁达一些，毕竟，你需要在这个社会上继续生存。那么怎样才能在跳槽后，不把过去的路堵死呢?

1. 把矛盾彻底忘却。离职时因为种种原因而和老板闹得有点儿僵的例子比比皆是。离职后，心中有点儿怨气或者牢骚也是自然的。但从职业的角度出发，尽量不要再提起过去，将对日后与旧老板相处大有益处。实际上，日后仔细思量，恐怕也不难发现自己的不足和问题。因此，离职后切忌抓住过去的恩恩怨怨不放，在现任老板或朋友那里到处散布。

2. 不要说以前任领导的坏话。不论是轻松愉快还是恩怨相加的离职，离开后维护旧东家形象的事情一定要做，特别是以下几点要多加注意：

（1）永远不要在现任老板或新同事面前说前任老板的坏话。这样做会引起新老板的怀疑：你今天可以在我面前如此评价过去的老板，是否明天就会同样在别人面前这么评价我呢？所以，这样幼稚的举动还是不做为好。

（2）客观地评价旧公司的优缺点，维护公司形象。公正客观地评价老东家，不但有利于公司的正常发展和树立你自己的职业形象，更重要的是，可以维护老东家的商誉。这样，无论日后你个人的发展如何，老东家都会记得你的良好职业素养，当然有利于你和他们再次打交道时建立良好的关系。

（3）正确处理竞争对手间的关系，不透露公司的商业秘密。从行业的角度来说，在有竞争关系的公司之间转换工作也是很正常的事。而且，公司间的良性竞争是能够促进彼此发展的。但无论从职业化还是个人发展的角度，遵守良性竞争的原则，恪守商业准则，都是获得职业认可的基石。作为职业人，可以在不同的公司中发现各自的优缺点，促进企业的发展。

3. 常和旧领导联系。为了自己的职业发展、寻求更广阔的施展空间是大多数人跳槽的主要原因。在这种情况下，坚持自己的职业水准是非常重要的。在最后一天也要做好分内的最后一件事，交接工作时认真负责，留档备案，让你的老板自始至终认可你的职业修养，可为日后保持良好关系打下坚实的基础。留下你的联系方式和电话号码，与老板吃上一顿轻松的晚餐，也是不错的道别方式。

跳槽的时候，一定要谨慎决断，不能只顾眼前的利益，不要被眼前的利益迷惑。要有长远的规划，制定一个高远的目标，把近期利益与长远利益相结合，把理想和现实有机结合，三思而决，这样的跳槽才有价值，才有可能跳得成功。

符言第十二

经典再现

摘要

“符”，即符合。本指先秦时朝廷用来传达命令、调遣兵将的信物，具有很高的权威性。“言”，即言辞。所谓“符言”，就是对身居高位的人提出的治理国家的行为准则，是君王常用的治国之道。“符言”追求的是言行合一，名实相符。它不仅是一个舌辩之士练就一身本事、言动天下的基础理论课，也是一个老练政治家畅通言路治国理政的经验总结。

《符言第十二》，分别从位、明、听、赏、问、因、周、参、名九个方面进行了论述。鬼谷子提出，君主应“安徐正静”，以保持君位；应虚怀若谷，明察秋毫；应广开言路，君臣共商；应赏罚分明，赏罚有据；应广问博闻，集思广益；应依法制臣，以利驭臣；应小心谨慎，周密行事；应见微知著，“洞天下奸”；应循名责实，名实相符。

《鬼谷子》寥寥数语皆为真知灼见，不仅思维缜密，更是包罗万象，蕴涵万千智慧。短短数百字，胜于万语千言，能抵百万之师。

原文

（一）

安徐[1]正静，其被[2]节先定，善与[3]而不静；虚心平意以待倾损[4]。右[5]主位。

注释

①徐：徐缓，沉住气。正：正色。

②被：皮。节：节点，引申为原则。

③与：给予，参与。

④倾损：倒运失败。倾，倒毁。

⑤右：以上。古人自右向左竖写，故综括以上内容时言“右”。主位：主位术，指某人居某某位置时应有的容态。

译文

君主能够做到安定从容，正色详静，稳重、温和、公正，可通融问题和原则。问题分得清，就显得醇厚，具有君主风度。如果他善于居位静观，不缠身于具体事务，不过多指手画脚，心平气静坐待桀骜之臣自己倒霉失败。以上讲的是如何保持君位。

原文

（二）

目贵明，耳贵聪，心贵智[①]。以天下之目视者[②]，则无不见；以天下之耳听者，则无不闻；以天下之心思虑者，则无不知。辐辏并进[③]，则明[④]不可塞。右主明。

注释

①智：智慧。此指产生智谋。

②以天下之目视：用天下人的眼睛去看。此指善于调动大家的积极性去观察。

③辐辏并进：此指集中众人之力。辐辏，指车辐集中于车轴。

④明：此指圣明。

译文

眼睛最重要的是明亮，耳朵最重要的是灵敏，心灵最重要的是有智慧。人君若能利用天下人的眼睛去观察，就没有看不到的事物；如果能利用天下人的耳朵去探听，就没有听不到的事情；如果能利用天下人的心智去思考，就没有想不通的事情。如果能像车辐集中于车轴那样集中起众人的智慧和力量，发挥他们的聪明才智，君主的圣明就没有什么能够遮蔽了，以上讲的是如何保持明察。

【原文】

（三）

德之术曰：勿望而拒之[①]。许之则防守[②]；拒之则闭塞[③]。高山仰之可极[④]，深渊度之可测[⑤]，神明之德术正静[⑥]，其莫之极。右主德。

【注释】

①勿望而拒之：不要看到别人（进谏）就拒绝。意为广纳众议。

②防守：此指增加我方守卫力量。

③闭塞：此指妨害视听。

④高山……可极：意谓博听众议可至高山之巅。

⑤深渊……可测：意谓博采众议可达深渊之底。

⑥正静：严正祥静。

【译文】

君主接受听的关键，是广采众论，不拒绝任何意见。允许别人提意见，就会增强对方的参与意识，众心成城，增强我方力量；反之，拒绝别人提意见，就闭塞了自己的视听。应让臣下觉得你像座可仰视而不可逾越的高山那样，像深不可测的深渊那样，难揣底细而乖乖吐出真言。神明之位，德术之正静，在前逢迎看不到，在后跟随也看不到，严正详静的容色对待众人进谏。这样，就没有人能比得上我们。以上讲的是采言纳谏。

【原文】

（四）

用赏贵信[①]，用刑贵正[②]。赏赐贵信，必验耳目之所闻见，其所不闻见者，莫不暗化[3]矣。诚[4]畅于天下神明，而况奸者干君。右主赏。

注释

①用赏贵信：信，信用。

②用刑贵正：正，平正，正当。

③暗化：暗自感化而不敢冒功邀赏。

④诚：诚信，信用。畅：畅达。神明：此指幽暗之处。

译文

实行奖赏时，最重要的是恪守信用实行惩罚时，最重要的是公正合理。赏赐贵信，就是说要赏赐某人某事，必将其功绩查验确实。这样一来，那些无法查验的事端，当事人也会自动地如实报告了。君主如果能把这种诚信畅达于天下，那么连神明也会来佑护，赏罚得当，就会明清如水，更何况那些干求君主的奸邪之徒，哪能查不出呢！以上讲的是赏罚必信。

原文

（五）

一曰天之[1]，二曰地之，三曰人之。四方上下，左右前后，荧惑[2]之处安在。右主问。

注释

①一曰天之：意指调查天道天时。

②荧惑：受人迷惑。

译文

君主的询问范围，包括天时，地利和人和三个方面。调查天时、天道，调查地时、地利，调查人世、社会。东西南北，上方下方，左右前后都问遍，哪里还会有受人迷惑的地方呢？以上讲的是君主应多方咨询。

【原文】

（六）

心为九窍[①]之治，君为五官[②]之长。为善者，君与之赏；为非者，君与之罚。君因[③]其所以求，因与之，则不劳[④]。圣人用之，故能赏[⑤]之。因之循理[⑥]，固[⑦]能久长。右主因[⑧]。

【注释】

①九窍：耳、目、鼻各两窍，口、前阴、肛门各一窍，共九窍。此泛指身体器官。治：统治，职掌。

②五官：此泛指文武百官。

③因：循顺，依据。

④劳：劳顿，劳苦。此指缠身于事务中。

⑤赏：疑为“掌”之形讹。掌，职掌，此指掌握（百官）。

⑥循理：遵循一定规矩和一定法式。

⑦固：故，固古字通。

⑧因：因循，因臣之所求而驱使之。

【译文】

心是身体各部器官的主宰，君主是文武百官的首领。对于那些做了好事的臣属，君主就赏赐他们；对于那些做了坏事的臣属，君主就惩罚他们。君主依据臣属的政绩来任用，斟酌真实情况给予赏赐，这样就不会劳神。要求而使用他们，让他们立功，而后满足他们的要求，赐以官爵禄位，所以自己就不会陷身于具体事务中。圣明的君主运用这种权术，所以能掌握百官。根据他们的要求封赏并于赏赐时依据一定的法度，所以能够维持长久统治。以上讲的是君主应该依法治国治民。

【原文】

（七）

人主不可不周[1]。人主不周，则群臣生乱。家于其无常[2]也，内外[3]不通，安知所开[4]。开闭不善[5]，不见原[6]也。右主周。

【注释】

①周：周密。此指加强保密措施。

②无常：别人摸不到头绪。

③内外：宫内宫外。

④开：开泄密之门。此指故意放风以制造假相。

⑤善：得其法。

⑥原：源头。原，源古今字。

【译文】

君主做事不可不注意周密。君主做事不能加强保密措施，群臣就会发生动乱。君主做事前应该寂然平静，让圈外人摸不到头绪，圈内圈外不能沟通消息，机密还能从哪里泄露？保密措施和故意放风不得要领，泄露了机密还不知从哪儿泄露的。以上讲的是君主应该通达人情事理。

【原文】

（八）

一曰长目[1]，二曰飞耳[2]，三曰树明[3]。明知千里之外，隐微[4]之中，是谓洞[5]天下奸。莫不暗变[6]。右主恭[7]。

【注释】

①长目：千里眼。此指在远处安插耳目。

②飞耳：顺风耳。此指建立特殊通讯渠道，飞传边臣消息。

③树明：建立使隐暗处的小动作敞明于光天化日之下的制度，指建立举

报制度。树，建。

④隐微：暗处，背地里。

⑤洞：洞察，明察。

⑥暗变：暗中收敛、顺从。

⑦恭：检验，弹劾。

【译文】

君主用臣还要采取三种措施，一是设置千里眼，二是设置顺风耳，即在边远地区安插耳目，监视边官，并设置特殊的通讯渠道飞速传递消息；三是建立举报制度使近臣的小动作公开出来。这样，边官外臣的一举一动，内宫近臣的暗中动作，便在君主的掌握之中了，这就叫作洞察天下奸情。这样一来，内臣外臣都会小心翼翼，收起不轨想法。以上是讲正视听、开言路的重要性。

【原文】

（九）

循[①]名而为，实安而完。名实相生[②]，反相[③]为情。故曰：名当[④]则生于实，实生于理[⑤]，理生于名实之德[⑥]，德生于和[⑦]，和生于当。右主名[⑧]。

【注释】

①循：顺，依照。

②相生：相互化生，相依相存。

③反相：反复循环。

④当：适当，恰当。

⑤理：道理。此指对事物的正确认识。

⑥德：通得。得，相得，相当。

⑦和：吻合。

⑧名：此指循名责实、按官查职的用臣术。

【译文】

依据客观事物的名称去考察事物实际，按客观事物的实际确定事物名称。名称是从实际中派生的，客观实际产生出事物名称。二者互相循环，互为表里，这本是事物常情。所以说，适当的名称产生于客观事物实际，对于客观事物实际的把握取决于人们对客观事物的正确认识，对于客观事物取得正确认识的标示，是对客观事物做出了符合实际的表述。这种对客观事物的实际的表述，取决于我们的认识与客观事物吻合。这种认识与实际的吻合，取决于我们运用了恰当的方法。以上是讲君主应该懂得名副其实的重要性。

【为人处世】

不拘一格——唐太宗用人不问出处

“上品无寒门，下品无士族”，讲究出身、门第，这在封建社会里可以说是一种正常现象。但这恰恰是选拔人才过程中的严重弊端，因此，英明的领导者用人应该不拘一格。

大唐帝国这一宏伟大业的实际开创者唐太宗，不但以他高瞻远瞩的高超谋略打下了唐室江山，留下了“浅水原大战”“虎牢关大战”等经典战例，而且他在治国用人方面也取得了巨大的成就，开创了流芳百世的“贞观之治”。这巨大成就的取得在很大程度上是和他卓越的用人策略分不开的。可以这么说，若没有唐太宗的善于用人就不会有大唐290年的帝业，就不会出现空前繁荣的“贞观之治”。那么，唐太宗的用人方略到底是什么样的呢?

魏晋南北朝时期，国家君王一向采取从士族地主里选择人才的方针，甚至一度形成士族垄断政权的局面，以致成为禁锢人才发掘的一项弊政。对此，唐太宗力求整顿前朝在用人上的过失，把眼光转向更广大的范围，采取了士庶并举的方针。例如，他在当政时不但非常信任士族地主高士廉、长孙无忌、杜如晦等人，还曾物色起用有才能的庶族人士马周。

贞观三年（629 年），唐太宗鼓励百官上书直言政事得失。中郎将常何不善文墨，于是请家客马周代替自己写奏折二十多条。常何上奏后，这二十多条意见竟然每一条都十分符合唐太宗的心意。对此，唐太宗感到很惊讶，认为其中必有蹊跷，因为常何乃一介武夫，不通文墨，什么时候竟然修得如此远见卓识，于是追问常何原因。常何据实相告，唐太宗感到马周的确是一个贤能之才，随即宣旨召见他。当马周迟迟未到时，他又“四度遣使催促”，显示了他对这个素未谋面的布衣人才是何等的重视。在与马周见面交谈后，唐太宗十分高兴和满意，马上授予其门下省的官职，最后又将其调为中书令。

皇帝从官中选官，并不是一件稀罕的事，但能够把网罗人才的视野从贵族转向平民的君王则为数不多，唐太宗可算其中的佼佼者。

一方面，唐太宗不以人的身份背景、地位尊卑为选择的条件；另一方面，唐太宗还十分懂得唯能者是用的用人原则，提倡谁有本事就用谁。

一次，唐太宗给功臣们封官赐爵。他让人先宣读自己事先写好的名单，并说：“若谁有意见，请尽管向我提出来。”

唐太宗的叔叔李神通自认为为唐王朝打了许多重要的仗，立下了汗马功劳，而且自己又是皇帝的叔叔，在众大臣中，应该是自己的功劳最大。但他一听到名单上把自己排在后面，心里就极为不服气，对唐太宗说：“当初，是我首先起兵响应您，跟随您东征西杀，为您夺得皇位立下了大功。可您今天怎么好像把我的功劳全都忘记了似的，竟然将我排在房玄龄、杜如晦这些人的后面？与我们这些在战场上誓死为国家拼杀的人相比，他们有什么功劳可言？不过就是舞文弄墨、乱写乱画罢了！”

唐太宗笑了，说：“叔叔您虽然首先举兵起义帮助我，可是您忘了，您后来还打了两次大败仗呢！房玄龄、杜如晦他们出主意、定计策，帮我取得了天下，论功劳，理应排在您的前面啊。您虽然是我的至亲，可是我不能徇私情加重对您的封赏啊！那样的话，对其他大臣来说就太不公平了！”听皇帝这么说，李神通也就不好说什么了。

过了一会儿，房玄龄说：“秦王府里的旧人，都是皇上的老部下了，那些没有升官的，难免会有一些怨言。”

对此，唐太宗说：“国家之所以设立官职，为的就是选拔有才能的人才，替老百姓办事。在这上面，绝不能以新旧分先后。新人有才能的，就要升官赐爵；旧人没有才能的，当然不能提拔。要不然，国家的事情怎么能够处理好呢？”

长孙无忌是唐太宗年轻时候的好朋友，又是长孙皇后的哥哥，有才能又曾立过大功，唐太宗就任他为当朝宰相。长孙皇后知道了，怕别人说闲话，就劝唐太宗不要给哥哥那么大的官职。

“你这样想不对。我任用你哥哥，是因为他有做宰相的才干，不是因为他是我的亲戚。”最后唐太宗还是坚持让长孙无忌做了宰相。

《符言第十二》篇讲：“德之术曰：勿望而拒之。”广采众论，不拒绝任何意见。允许别人提意见，就会增加对方的参与意识，众心成城。李世民的用人之道向来为史家所称道，他用人不看出身，只看其是否有能力、有才华，从而唯才是用、用其所长，因此，李世民一朝出现了很多名垂青史的人物，如房玄龄、杜如晦、魏征、长孙无忌等等。

英雄就是英雄，不必问其出处，人才也是如此。用人就当为才所宜，谁有本事就用谁，凭借这一原则就能获得贤能之才的鼎力相助，有此源源不断的智慧源泉，何事不可成？

【管理谋略】

谦虚谨慎——萧道成喝御酒

萧道成，字绍伯，南朝兰陵人。性深沉，通经史。仕宋为将军，封齐王，后受禅为帝，国号齐，即为齐高帝。从宋到齐，从人臣到君王，他曾经历过怎样的心路历程呢？对此他曾在一首《群鹤咏》中暗示自己的心情：“八风儛遥翮，九野弄清音。一摧云间志，为君苑中禽。”

此诗，通篇写鹤。前两句意为一鹤迎着八面来风起舞，在九天之上翱翔鸣叫；后两句笔锋一转写到，鹤因羽翮摧折而不能高翔云天，只能成为帝王园囿中的观赏之物。显然此诗是托物言志、以鹤喻人，既写出了萧道成鹤飞高天的雄心壮志，也暗示出他内心的苦闷与不平。那么，他如何由一只恭君王观赏之“苑中禽”涅槃为“清音九野”之仙鹤的呢？

南朝宋明帝生性多疑，好鬼神，信迷信，多忌讳，搞得民间乌烟瘴气。

如果有人触犯了他的禁忌，他向来不问青红皂白，总是先杀而快之。他最忌讳的是“凶”“死”“灾”“祸”等这些不吉利的字眼。京都曾有一宣阴门，人们为了避讳，改称为“百门”。但是，宋明帝认为这也不是什么好兆头，有许多人不小心疏漏了嘴被残忍处死。可以说他的迷信和多疑都达到了登峰造极的地步。在日常生活中，就连移床、修墙，甚至搬动一块石头宋明帝都要人们查看皇历，祭祀祖先。

在这种情况下，宋明帝手下的文武大臣无不诚惶诚恐、小心谨慎，唯恐惹来皇帝无端猜忌，招致杀身之祸。宋明帝初年，诸王多叛，当时朝中有一员大将萧道成骁勇善战，成为平叛的一员主将，东征西讨，功勋卓著，名位日隆。到了公元469年，萧道成身兼数职，手握兵权，在民间的影响力越来越大，不知道是恶作剧，还是有人存心陷害，建康城一度出现了“萧道成当为天子”的流言。

对此，深知宋明帝生性多疑的萧道成更是时时留心、处处在意，唯恐不小心给皇帝留下把柄。其实，宋明帝早就觉得萧道成才貌出众，不是久居人下的人，又听到民间流言后更加怀疑手握重兵的萧道成有野心，会对自己构成威胁了。于是，宋明帝决定找寻机会试探和考验一下萧道成。

一次，宋明帝千里迢迢派遣使者吴喜给镇守淮阴的萧道成送去一壶酒。萧道成戎装出迎使者，看到那一壶酒随即明白了怎么回事。待他谢过天恩后，吴喜便递过了那壶酒，说道：“皇上感念你镇守有功，特赐你美酒，请即刻享用吧。”说罢，手握宝剑看着萧道成。这时萧道成的部下都担心那是一坛毒酒，私下里为萧道成捏了一把汗。

其实，萧道成此刻的内心何尝不是翻江倒海，五味俱全。他心中明知这是君王的试探，想到自己在当下国家的位置可以说是无可替代，君王是不会毒害自己的，否则刘家的天下就难以保全了。但是这是常理之分析，常言道，人心叵测，更何况君王之心呢。如果此酒真乃毒酒，如若喝下自己也就一命呜呼了；可如若不喝，当留下不忠之嫌疑，皇帝绝对不会放过自己，最终还是一个死。须臾之间，思虑千载。想来想去，与其留下不忠之名，还不若冒险一试，如若真乃毒酒，就当我命该如此吧。

想到这里，萧道成不再犹豫，端起酒壶，仰起脖子，“咕咚咕咚”地很快就把酒喝光了。吴喜看到了这一切，笑嘻嘻地对萧道成说：“萧将军果然爽快，这样我就可以回去复命了。”随后，吴喜便离开了。自此，宋明帝判断萧道成是忠心的，不会造反。

但是这场虚惊之后，萧道成深知自己位高权重，难免招致皇上的猜忌，于是，行事越发的小心谨慎。赐酒事件不久，宫中皇族叛乱，宋明帝速召萧道成回京，许多人都说此行可能凶多吉少，还是从长计议的好。但是萧道成却说：“我必然要回。此时宫中皇族自相残杀，皇上无心顾及其他，如果不回，反而会招致皇上的怀疑，只会使情况更糟糕。”

宋明帝见萧道成言听计从、招之即来，基本上消除了对他的疑心，而且对其还加官晋爵。萧道成屡次都表现出对皇上的一片忠诚之心，宋明帝因此放松了警惕。后来，时机成熟，萧道成一举夺取了刘宋江山。

《鬼谷子》有言：“目贵明，耳贵聪，心贵智。以天下之目视者，则无不见；以天下之耳听者，则无不闻；以天下之心思虑者，则无不知。”说起来，这宋明帝也乃无道昏君。平素里是迷信鬼神，残害无辜。时常在宫外花天酒地，在宫内杀戮大臣。据传一日三伏天，萧道成在院中敞开衣襟纳凉，宋明帝突然闯入，径直以萧道成之肚皮为箭靶，拉弓要射。吓得萧道成大声求饶。宋明帝觉得如果一箭射死萧道成也没有意思，随后便摘掉箭头，将箭杆射向萧道成，没想到正中靶心——肚脐，萧道成痛得滚翻在地，宋明帝乐得“哈哈”大笑。这宋明帝之顽劣昏庸可见一斑。

所以，萧道成对这宋明帝早就有些腻烦了，只不过是坐等时机而已。但是，虽然才智足以当天子，身处人臣时更要小心，一着不慎就会满盘皆输。想当初萧道成敢于饮下所赐御酒，实在是胆识过人。当然，这胆识更在于对当时处境和形势的准确分析，所以才会屡遭险情，总能顺利过关。

【商战博弈】

公正守信——陶朱事业当有管鲍之风

对于陈峰来说，他并不是个打领带的高手，但是这次，他决定试着打一次。

刚刚接手海南航空公司的时候，陈峰遇到了一件麻烦事：他只有1000万，“连一个飞机翅膀也买不起。”而他接管海航的任务就是：组建海南航空。

钱成了他每天翻来覆去想的最大问题。一个朋友偶然间的一句话让他找到了出路：美国可以找到投资。已经为钱急红了眼的陈峰刹那间来了精神。他在镜子前理了理有些凌乱的头发，套上一身西服，仔细地打着领带。

那段时间，他总共打了10次领带，去了10次华尔街。

第10次的时候，他又在用自学的英文为面前潜在的投资者讲述海航100万美元创业的故事，面前的听众听得津津有味，但没有一个真正出钱的。一位刚从洗手间里走出来的男人打断了陈峰的讲述，他饶有兴趣地问起了陈峰的公司在中国的具体位置。陈峰就拿出一张英文地图，他本想说我们在海南岛。但地图上海南岛的位置只有小岛没有名字，他就对那个人说：“你知道越南吗？”那人说知道。

"我们就在越南边上。"

每当说起这个桥段，陈峰总是语重心长地对自己跟前的小字辈说："把话说明白是一种技巧，找投资的时候尤其如此。我当时就是给他们讲故事，讲得绘声绘色，非常容易明白。"有的人不明白，"讲好故事就能拉来投资？"

陈峰笑笑："可能还是因为我长得善良、诚实。"

陈峰说的没错，不是因为他长的善良、诚实，而是因为他确实诚信为本。

那个从洗手间出来的男人听完陈峰打趣的话后就走了，两周后，陈峰接到了美国航空想投资海航2500万美元的电话。直到那刻他才知道，那个陌生的男人是世界投资巨头索罗斯的助手，而打算投资他的美国航空公司就在他旗下。

当然，任何公司投资之前都是严谨的，尤其是美国公司。在正式合作之前，美国公司向陈峰提了200多个问题，他就用自己蹩脚的英文一一回答，虽不流利，解释得却清楚。2500万很快到账。但几天之后，那边的人又打来电话。

"陈先生，钱先别用行吗？等你把所有中外合资手续办完之后再用。"

一听这话，陈峰大惊起来。"我都已经用完了啊。"

"怎么这么快呢？"那边也惊讶不已。

陈峰就跟他解释，钱放在账上就有财务成本，公司急需发展，也没有办法。

"你们放心，不用着急，三个月我可以把所有手续办下来，我说话算话。"

之后，便是一系列紧锣密鼓的手续运作。陈峰一开始就建立了国际会计师准则，聘请一流会计做审计，这样美国人就容易看得懂。然后又聘请了美国最大的律师事务所做法律文件，好让美国人相信不是骗他们，最后陈峰又找到美国最权威的评估公司对相关程序进行评估，手续一个一个地办，程序一道一道地过。三个月后，所有手续竟然真的都办好了，连陈峰自己也直呼"奇迹"。

而美国人看到中国公司言必行，行必果，就放下心来。他们的投资也没有白费，短时间内就得到了丰厚的利润。

这次引资给海航注入了活力，“海南航空跟华尔街战略投资者的合作给我们开了一条路，接了个血管，给了我们一个入场证。使海南航空的管理和资本运作链条，跟国际资本链条融为一体，给我们产生连绵不断发展的支持和动力。”

但是，如果陈峰没有信守承诺，三个月将手续办齐，他也不会赢得一个好的名声，接下来的引资也不会取得成功。而回首当年，海航在负债高居不下之时，陈峰勇挑重担，十赴华尔街说服索罗斯投资海航，并不是一般人所能做到的，所以这件事也被业界称为传奇。

现在，以 1000 万元起家的海航已经成为中国第四大航空公司，这可能是许多人都想象不到的。每当人们问起他到底是怎么说服那些挑剔的投资者的，难道仅仅是因为会讲故事，把说明白，按时完成了合资手续？陈峰点点头：

“投资者都是非常挑剔的，他们会用各种严格的条条框框去要求你，去拷问你，他们就是想知道自己的钱能得到多少回报，投给你值不值？这个时候，你跟他说事情如果太复杂，人家就听不懂，这不仅仅是说话的问题，更是思维的问题，投资者尤其看重这点。但是更重要的，还是要诚实。如果你不诚实，说话不算数，人家就更不会跟你谈，所有的东西都可以成为谈判技巧，但这个却不行，只有实打实的对人家，人家才会相信你。”

“所有的都可以成为技巧，唯独诚信不行。”不是因为陈峰是晋商，才能说出这样的话。这是每个从商之人都应谨记的商道箴言。

《符言第十二》有“用赏贵信，用刑贵正……诚畅于天下神明，而况奸者干君。”之说。人，贵在恪守信用，贵在做事公正合理。赏罚得当，明清如水，也会得到大众的信任。诚信不欺是经商长久的关键因素，而商业信誉也应该置于所有的利益之上。商者虽以营利为目的，如果对良心道义置若罔闻，一切也都是白费。

有人说，经商虽是“陶朱事业”，但仍要以“管鲍之风”来要求自己。并不是所有人都能做到这点，只是我们不能将它忘记。诚者为大，商业领域也是如此。

【职场之道】

自我批评——领导的“哲学”

在批评他人之前先承认自己曾经做过类似的错事，从“我错了”开始，可通过带给对方一定程度的认同感，达到不伤和气的批评效果。

在批评他人之前先谈一谈自己从前做过的类似错事，一方面可以为对方提供活生生的例证，让他从这例证中认识到犯错的严重后果；另一方面也可以带给对方一定程度的认同感，拉近彼此的心理距离，营造出心胸开阔、坦诚相见的良好批评氛围，从而使对方更容易接受。

有个叫约瑟芬的食品店店员，在一次运货时因马虎而使食品店损失了两箱果酱。为此，老板对他进行了如下一番批评：“约瑟芬，你犯了个错。但上帝知道，我犯的许多错误比你还糟。你不可能天生就万事精通，那只有在实际的经验中才能获得。而且，你在这方面比我强多了，我还曾做出那么多愚蠢的事，所以，我不愿批评任何人，但你难道不认为，如果你换一种做法的话，事情会更好一点儿吗？”约瑟芬愉快地接受了老板的批评，从此做事认真多了。

作为长辈或上级，把自己曾经的过错暴露在晚辈或下属面前，目的不在于自己做检讨，而在于以自己的感悟来教育对方。这种借己说人的方法，让我们看到了融自我批评于批评中的魅力与力量。

自我批评比针锋相对的辩论、指责效果要好得多。

否定和批评下级，固然因为下级有了过失，但与此同时，处于指挥和监督岗位的上级也有不能推卸的间接责任。领导真心承担责任有三个好处：一是做了表率；二是找到了自己的问题；三是便于确定下级的问题。假如领导仿佛自己没事一样，盛气凌人，只把下级批评一顿，却不肯承担领导责任，好像自己一贯正确，这样，下级便有自己在领导心目中一无是处的委屈之感，虽表面未必反驳什么，但心中已耿耿于怀，站在了上级的对立面。因此，在批评下级时，领导最好首先自责，进而再点出下级的错误，使其有领导与他共同承担错误之感，由此产生负疚之情。这样，在以后的交谈中领导说多说少、说深说浅，下级不仅基本能承受得了，而且融洽了彼此之间的感情，不至于弄得不欢而散。

《符言第十二》强调“以德服人”。尤其是领导者，一定要品洁行清，诚实无欺，懂得“以德服人”，才能更好地让下属信服。自我批评是以德服人的一种形式，它可以拉近领导的下属的距离，让领导更有亲和力。这样才能让人信服，也会得到下属的敬重。任何一个人都会为自己的过失辩护，但是遇事多做自我批评，却可获得对方的谅解。他不再挑你的刺，甚至开始反省自己，使争议双方比较容易达成一致。

本经阴符七术

经典再现

摘要

修身养性是一种境界，更是一种内在的实质。纵横家游说诸侯，内在品质至关重要。本经阴符七术就是一种精神修养之术，它注重的是人的内心修炼。它是一种由内而外的修炼秘方，不但能入，还能出。它在“精”“气”“神”各个方面都进行了独到而且全面的阐释，对充实意志、涵养精神方面具有良好的功效。

本经阴符七术一共涵盖了七种权术，它们皆各有所指，具有很强的独立性。但彼此之间又有内在的逻辑联系，形成了一种既独立又联合，不可分割的关系。

前三节侧重于内在的修炼，包括内在精神、意志和思虑的养成。后四节讨论的则是由内而外运用内在精神的方法。以内在精神的充实为本，以内在精神的外用为末，环环相扣，紧密相连。

内心的修炼，以“盛神”“养志”“实意”为主。修身养性，是鬼谷子养生学说的经典。“盛神法五龙”认为养神之法在于合自然之道，以求养神以通窍。“养志法灵龟”认为养志要效法灵龟，以求养志以蓄威。“实意法螣蛇”认为坚定意志要效法螣蛇，以求实意以储存信息。

内心的外用，以“分威”“散势”“转圆”“损兑”为主。“分威法伏熊”认为分威要效法伏熊，以求分敌之威、增己之威。“散势法鸷鸟”认为散势要效法鸷鸟，以求散敌之势，扭转局势。“转圆法猛兽”认为转圆要效法猛兽，以求像转动圆体那样使计谋快速产生。“损兑法灵蓍”认为损兑要效法灵蓍，以求损兑言辞，随机变辞。

纵横策士们游说人主，应该以精神为宗，把养生寓于人的精神活动之中，安定心志，达到修身养性的目的。

【原文】

（一）

盛神法五龙[①]。盛神中[②]有五气，神为之长，心为亡舍，德为之大[③]。养神之所归诸道[④]。道者天地之始，一其纪也[⑤]，物之所造，天之所生，包宏[⑥]无形，化气，先天地而成，莫见其形，莫知其名，谓之神灵。故道者，神明之源。一其化端[⑦]，是以德[⑧]养五气，心能得一[⑨]，乃有其术[⑩]。术者，心气之道[⑪]所由舍者，神乃为之使[⑫]。九窍十二舍[⑬]者，气之门户[⑭]，心之总摄[⑮]也。生受于天，谓之真人，真人[⑯]者与天为一。内修练而知之[⑰]，谓之圣人，圣人者，以类知之[⑱]。故人与一生[⑲]，出于物化[⑳]。知类在窍[㉑]，有所疑惑，通于心术[㉒]，心无其术，必有不通。其通也，五气得养，务在舍神，此谓之化[㉓]。化有五气者，志也、思也、神也、德也，神其一长也。静和[㉔]者养气，气得其和，四者[㉕]不衰，四边威势[㉖]，无不为存而舍之，是谓神化。归于身，谓之真人。真人者，同天而合道，执一[㉗]而养产万类，怀天心[㉘]，施德养[㉙]，无为以包志虑思意[㉚]，而行威势者[㉛]也。士者通达之，神盛乃能养志。

【注释】

①盛神法五龙：尹知章曰：“五龙，五行之龙也。龙则变化无穷，神则阴阳不测，故盛神之道法五龙也。”

②中：体中。五气：“五脏之气也，谓精、神、魂、魄、志也。”

③德为之大：品德是精神在人身上的表现。

④归诸道：归之于道。即言合道乃可养神。

⑤一其纪也：是一的纲纪。道家言“道生一”，故道为一之纲纪。一，指元气，混沌之气。

⑥宏：廓大。

⑦一其化端：意谓道是世上万物化生的统一本源。一，统一，一致。

⑧德：德、得古通。得，能够。

⑨一：指由道所生的元气。

⑩术：外在技术。

⑪道：通导。导，导出，生发。

⑫使：使者，此指心气与术间的使者。

⑬十二舍：即中医所谓十二脏。先秦医家以心、肺、肝、胆、膻中、脾、胃、大肠、小肠、肾、三焦、膀胱为十二官，称十二脏（见《素问·灵兰秘典论》）。

⑭门户：通道。

⑮总摄：统领，制约。

⑯真人：与自然合一之人。《庄子·天下》称关尹、老聃为“古之博大真人”，《文子》曰“得天地之道”者为真人。

⑰内修练而知之：通过后天修养训练而得知种种权术。

⑱以类知之：用类例法遍知权术。

⑲人与一生：人与元气并生。

⑳出于物化：出世后随从万物一起变化。

㉑窍：即上言之九窍。

㉒通于心术：在思维器官和感觉器官间（即心与术间）传递（疑惑）。

㉓化：转化。

㉔静和：安静祥和。

㉕四者：即志、思、神、德也。

㉖四边威势：此指外界环境。

㉗执一：抱守元气。

㉘天心：生养万物之心。天主生。

㉙德养：以德养化万物。地主养。

㉚无为……思意：不专注于权术而权术自生。

㉛行威势：控制外界事物，制约外部环境。

译文

要使人的精神旺盛，就要效法五龙。旺盛的精神中有五气，精神是五气的总帅，心灵是五气的住所，品德是精神在人身上的表现。凡属培养精神的地方都归于“道”。道，先于天地而存在，是混沌元气的本源。万物的化育，天地的化生，都是由道来完成的。它恢宏无形，化养五气，先天地而生。没人见过它的形容，没人知道它的姓名，所以把它视为神灵。其实，道是神灵的本源，是世上万事万物的母体，而“一”是变化的开端。所以，品德可养五气，心能总揽五气，于是产生了“术”。权术，是心气外在扩散的外部表现形式，神是心气与权术的传导者。人体的九个孔和十二舍是气进出人体的门户，口鼻目耳是心气外散的通道，它们的功能反过来又制约着心。生来就具备种种权术的人，叫作真人。真人能与天地万物融为一体。明白这些道术的人，是通过内心的修炼才明白的，这就叫作“圣人”。圣人能以此类推而明白一切道理，人与万物一起生成，都是事物变化的结果。就一般人言，他们是与元气并生的，出世后随万物变化而变化。他们懂得权术，是靠了感官的学习。有了疑惑，靠心志思考和感官外察来解决。心志离开了感官，疑惑便不能通解。若要疑惑通释，就必须养颐五脏之气，特别是让神气归于心舍，这就是由惑到知的转化。在转化过程中也产生五气，即志、思、神、德等，其中“神”是五气的总帅。如果宁静、祥和就能养气，养气得以调和，志、思、神、德就不会衰退，那么外界局势就会被我们控制、掌握，这就叫作神灵般的转化。当这种神化归于自身时，那就是真人了。真人能与天地合同为一，抱守元气而育化万物万类，上怀苍天生物之心，下怀大地养物之德，并非专注于志、虑、思、意诸权术而诸权术自生，四周局势自然被控制。士人如能心术通达，心神盛大，就能修养自己的心志。

原文

（二）

养志法灵龟[1]。养志者，心气之思不达也。有所欲，志存而思之。志者，欲之使[2]也。欲多则心散，心散则志衰，志衰则思达也[3]。故心气一，则欲不徨[4]；欲不徨，则志意不衰；志意不衰，则思理达矣[5]。理达则和通，和通则乱气不烦[6]于胸中。故内以养志，外以知人。养志则心通矣，知人则职分明[7]矣。将欲用之于人，必先知其养气志，知人气[8]盛衰，而养其志气，察其所安[9]，以知其所能。志不养，则心气不固；心气不固，则思虑不达；思虑不达，则志意不实[10]；志意不实，则应对不猛[11]；应对不猛，则志失而心气虚；志失而心气虚，则丧其神矣。神丧则仿佛[12]，仿佛则参会不一[13]。养志之始，务在安己[14]。己安则志意实坚。志意实坚，威势[15]不分，神明常固守，乃能分之[16]。

注释

①养志法灵龟：灵龟不食不动，木然无欲。养志务在节欲，故曰养志法灵龟。

②使：使者，此指外在表现。

③欲多……达也：指纵欲者不能养志。

④不徨：无从顾及。徨、遑古通，《楚辞·九思》："遽倬遑兮驱林泽。"遑，闲暇。

⑤故心气……达矣：欲求无从顾及，志意就不会衰退。志意不衰退，思路就会畅通无阻。

⑥烦：纠缠，烦扰。

⑦职分明：职责、责任分明。此指知人善任。

⑧人气：人的元气、脏气。

⑨安：此指目的所在。

⑩志意不实：志不坚，意气不充实。

⑪应对不猛：应变能力不强，不能对紧急情况做出迅速反应。

⑫仿佛：心意彷徨，精神恍惚。

⑬参会不一：指志、心、神三者不能协调配合。

⑭安已：使自己心安神静。

⑮威势：精神气势。

⑯分之：即分人之威势。

译文

修养心志的办法是效法灵龟。之所以要涵养志意，是因为心神思虑不畅达的缘故。如果一个人有什么欲望，就会在心中想着去满足欲望。所以说，志意是受欲求驱使的。欲望多了，心神就会涣散，意志就会消沉。意志消沉，思虑就无法通达。所以说，心神专一了，欲求就无从顾及。欲求无从顾及，志意就不会衰退。志意不衰退，思路就会畅通无阻。思虑畅通就会脏气和通。脏气和通了，乱气就不会在胸中烦扰了。因此，对内要以修养自己的五气为主。对外，要明察各种人物。修养自己可以使心情舒畅；了解他人可以知人善任。想要使用某人，必须先知道他能否养志，了解他元气、脏气的盛衰，观察他的心志如何，考察他的理想所在，了解他的才能大小。如果一个人的心志都得不到修养，那么五气就不会稳固；五气不稳固，思想就不会舒畅；思想不舒畅，意志就不会坚定；意志不坚定，应付外界的能力就不强；应付

外界能力不强，就容易丧失意志，心里空虚；丧失意志，心里空虚，就丧失了神智；神气丧失必然精神恍惚。精神恍惚，心、神、志三者就不能协调行动。涵养志意，务必从安己去欲开始。自己安定了，志意就会坚实。志意坚实了，自己的声威气势就不会减弱，神气就固守于胸中，就可以分散别人的威势了。

原文

（三）

实意法螣蛇①。实意者，气之虑②也。心欲安静，虑欲深远。心安静则神策③生，虑深远则计谋成。神策生则志不可乱，计谋成则功不可间④。意虑定则心遂⑤安，心遂安则所得不错⑥，神自得矣。得则凝⑦。识气⑧寄，奸邪而倚⑨之，诈谋而惑之，言无由心⑩矣。故信⑪心术，守真一⑫而不化，待人意虑之交会，听之候⑬也。计谋者，存亡之枢机⑭。虑不会，则听不审矣。候之不得。计谋失矣，则意无所信⑮，虚而无实。故计谋之虑⑯，务在实意，实意必从心术始。无为而求安静五脏⑰，和通六腑⑱，精神魂魄固守不动，乃能内视，反听⑲，定志。虑之太虚⑳，待神往来。以观天地开辟㉑，知万物所造化，见阴阳之终始，原人事之政理，不出户㉒而知天下，不窥牖㉓而见天道，不见而命㉔，不行而至。是谓道知㉕，以通神明，应于无方㉖，而神宿矣。

注释

①实意法螣蛇：螣蛇游雾，无处不在，故充实意念要效法螣蛇。

②气之虑：心平气和，思虑深远。

③神策：奇谋佳策。

④间：离间，干犯，阻止。

⑤遂：顺。

⑥错：乱。

⑦凝：凝结。此指（神气）专注。

⑧识气：智识、心气。

⑨倚：靠，依附。

⑩言无由心：未经思虑脱口而出。

⑪信：信守。

⑫真一：人的天然本性。

⑬候：时机，最佳境界。

⑭枢机：关键。

⑮意无所信：意念中没有让人信任的东西，指信息不真实，计谋不周全。

⑯虑：此指谋划。

⑰五脏：心、肝、脾、肺、肾。此指五脏之气。

⑱六腑：指胃、胆、三焦、膀胱、大肠、小肠。此指六腑之气。

⑲反听：运用意念听体内之声。

⑳太虚：道家向往的最高神境。

㉑观天地开辟：指意念合于混沌元气。

㉒户：小门，寝门。

㉓牖：窗子。

㉔命：命名。此指辨别事物。

㉕道知：用大道以体察万物。

㉖无方：没有极限。此指任何事情。

译文

充实意念应效法无处不至的螣蛇。坚定意志就是要在五气和思想上下工夫。心情要安详宁静，思虑要周到深远。只有心情安详宁静，精神就会愉快；只有思虑深远，计谋才能成功。精神愉快，心志就不会紊乱；计谋成功，功业就不可抹杀。意志思虑既定，心境就会顺遂平安。心境顺遂平安，行为就不会错乱，神气就能自得。神气自得就会精神专注。反之，若智识和心气客寄体外而不能在心中扎根，奸邪之气就会乘虚而入纠缠于胸中，阴诈计谋也会攻入心中迷惑我们，那么就会言不由衷，说辩苍白无力。所以要坚信通达心灵的方法，信守纯真始终不变，静静地等待意志和思虑的交汇，听候期待这一时机的到来。计谋是国家存亡的关键，思虑不与意志交会，所听到的事就不详明。即使等候，时机也不会到来，计谋也就失去了作用，那么意志也就无所依赖，计谋也就成了虚而不实的东西。所以，嘉谋良策的筹划，在于务必充实意念。充实意念，必须从锤炼心术开始。要静泊无为以处世，使五脏之气安静，使六腑之气和顺，使精、神、魂、魄诸气各安其所，才能做到内视脏腑，反听体音，使志、意、思、虑安定，如入太虚神境，以等待神气往来于体内、心中。由此以观天地开辟之理，洞晓世间万物造化之功，明见阴阳二气的交化终始，明察人世社会的治理机要，这样自己不出门就可以知晓天下大事，不开窗就可以看见天道。不见事物而可为之命名，不用用脚行走而可达神奇之境，这就叫作明知天地阴阳大道，可与神明交通，可应付万变之机、任何情势，而神气也会永驻我们心中。

原文

（四）

分威法伏熊[1]。分威者，神之覆[2]也。故静意固志，神归其舍[3]，则威覆盛矣。威覆盛，则内实坚[4]；内实坚，则莫当[5]；莫当，则能以分人之威，而动其势，如其天[6]。以实取虚，以有取无，若以镒称铢[7]。故动者必随，唱[8]者必和，挠其一指，观其余次[9]。动变见形，无能间[10]者。审于唱和，以间见间[11]，动变明而威可分也。将欲动变，必先养志伏意以视间[12]。知其固实[13]者，自养也；让己[14]者，养人也。故神存兵亡，乃为之形势[15]。

注释

①分威法伏熊：杨慎曰：“伏者，藏也，静也。静藏者明，以乘彼暗，无物不可得而攫也。物皆有威，不可分散。我乘其暗，则其威势忽然分散。譬如彀卵在彼盲手，我从攫之，无不得者。故善伏熊之法，万物虽有威势，莫不分散如彼盲者也。”

②覆：覆盖，笼罩。按：此指充盈。

③舍：居住之地。

④内实坚：指志意充实，谋略既定。

⑤当：抵挡。当，挡古今字。

⑥如其天：如天覆万物般压倒别人的威势。

⑦以镒称铢：用重物作秤锤去称量轻物，比喻以重驭轻，轻而易得。镒，二十两为一镒。铢，二十四铢为一两。

⑧唱：通倡，倡导。唱、倡古通，《礼记·乐记》：“倡和有应。”《荀

子·乐论》《史记·乐书》《说苑·修文》倡并作唱。

⑨挠其……余次：比喻把握对方一点而依次考察其他。

⑩间：寻缝隙，钻空子。

⑪以间见间：用寻缝隙之心抓别人弱点。

⑫视间：寻查对方漏洞。

⑬知其固实：自己知道补洞弥隙。

⑭让己：让别人抓住自己的漏洞。

⑮为之形势：制造对自己有利的形势。

译文

分散别人的威势要效法那蛰伏而养、突然而动的伏熊。所谓分威，就是把威风一部分掩蔽起来。要平心静气地坚持志向，使精神归于心舍，那么威风就因为阻碍而更加强劲。威风因隐伏而强劲，内心就更坚定有底。内心坚定，就所向无敌。所向无敌，就可用分布隐伏威风来壮大气势。使其像天一样壮阔。用实来取虚，用有来取无，就像用镒来称珠一样轻而易举。因此，我们一倡导，对方必然应和。掌握了对方一点，就可以考察、控制对方的其余方面。对方的一举一动、一变一化都像明镜般摆在我们面前，他便无法钻我们的空子。但是，我们还要把对方应和我们的动机、目的等搞清楚，用查漏洞、钻空子的心去明察对方，以免被对方钻了空子。对方的举动确实明摆在我们面前，他的威势就可以被我们分散。我们要有什么举动，一定要先涵养志意，充实意念，抓住别人漏洞。知道堵塞自己漏洞的人，是能够自养威势的人。把漏洞留给对手的人，是帮助别人蓄养威势的人。因此要设法让精神的交往发展下去，让武力争斗得以化解。这就是所要实现的形势。

原文

（五）

散势法鸷鸟[①]。散势者，神之使[②]也。用之，必循间[③]而动。威肃内盛，推间[④]而行之，则势散。夫散势者，心虚志溢[⑤]，意衰威失，精神不专[⑥]，其言外[⑦]而多变。故观其志意为度数[⑧]，乃以揣说图[⑨]事，尽圆方[⑩]，齐短长[⑪]。无间则不散势者，待间而动，动而势分矣。故善思间[⑫]者，必内精五气，外视虚实，动而不失分散之实。动则随其志意，知其计谋。势者，利害之决[13]，权变之威；势败者，不以神肃察[14]也。

注释

①散势法鸷鸟：鸷鸟袭击禽兽，必善抓时机，散势亦须“待间而动”，故言散势法鸷鸟。

②使：驱使，驱动。

③间：间隙，漏洞。

④推间：利用对方间隙，扩大对方漏洞。

⑤溢：外流，外泄。

⑥专：专一，专注。

⑦言外：说些不着边际的话。多变：无中心，无主题。

⑧度数：尺度，等级，程度。

⑨图：谋划，处理。

⑩圆方：天圆地方。此指有形物和无形物。详《捭阖》注。

⑪齐短长：指灵活运用长计短谋。

⑫思间：思索、寻查对方漏洞。

⑬决：决定因素。

⑭肃察：认真考察。

译文

分散对手的声势要效法寻机而动的鸷鸟。散开气势是由精神支配，实行时必须沿着空隙运行，才能威风壮大、内力强盛。运用散势权术时，一定要瞅准对手的漏洞再行动。我们的旺盛神气使我们的威势大增，再利用对手的漏洞去行动，就必定能散对手之势。威势被分散的人，心气虚弱，志意外泄，意念衰退，威风丧失，精神不能专注集中，言语不着边际且漫无中心。观察对方志意的盛衰，衡量对方声势的程度如何，于是去揣测游说，处理难题，查遍有形无形之物以掌握决策信息，衡量长计短谋以求得最佳决策。实施散势时应注意，对方若无间隙漏洞可以利用，就难以散其势，这时必须等待时机，等找到对方的漏洞再动手，一动就能散其声势。善于思索、寻求对方间隙的人，必须善于充盈内脏精气，善于观测对方志意的虚实，抓准时机，不动则已，一动必能散对手的声势。行动时，必须随时掌握对方志意的虚实，了解对方的计谋和对策。声势，是利害成败的决定因素，是随机应变的威慑

力量。气势一旦衰败，就没有必要再费心去认真研究了。

原文

（六）

转圆法猛兽①。转圆者，无穷之计。无穷者，必有圣人之心，以原②不测之智而通心术。而神道③混沌为一，以变④论万类，说义⑤无穷。智略计谋，各有形容⑥：或圆或方⑦，或阴或阳，或吉或凶，事类不同。故圣人怀此用，转圆而求其合⑧。故与造化者为始⑨，动作无不包大道⑩，以观神明之域⑪。天地无极，人事无穷，各以成其类⑫，见其计谋，必知其吉凶成败之所终⑬。转圆者，或转而吉，或转而凶，圣人以道先知存亡，乃知转圆而从方⑭。圆者，所以合语⑮；方者，所以错事⑯。转化者，所以观计谋；接物⑰者，所以观进退之意。皆见其会⑱，乃为要结⑲以接其说也。

注释

①转圆法猛兽：杨慎曰："猛兽之威无尽，犹转圆之势无止。圣人心语顺物，莫得而穷之，盖犹是也。"

②原：追溯，探究。通心术：通于心与术之间。此指将不测之计储存在脑子里，并在实践中运用测试。

③神道：不可测知的天地万物之道。

④变：此云"'变论万类'，即'遍论万类'也。"

⑤说义：申说物类之义。

⑥形容：形势，特点。

⑦或圆或方：此指灵活性的"圆计"和规定性的"方计"。

⑧合：合于事机，合于时用。

⑨始：端。此指一同（存在）。

⑩包大道：包容大道。此指与天地之道相合。

⑪神明之域：幽深隐蔽之处。

⑫类：类别，类分。

⑬终：终端，结果。

⑭转圆而从方：从灵活的无穷之计转化到确定可行的具体措施。

⑮合语：合君主之语，指迎合君主心意。

⑯错事：处置事件，解决问题。

⑰接物：与事物接触。此指接触实际问题。

⑱会：汇聚处。此指各种问题的症结。

⑲要结：关节，关键。

译文

要把智谋运用得像转动圆球一样，就要效法猛兽。所谓转圆，是一种变化无穷的计谋。要有无穷的计谋，必须有圣人的胸怀，以施展深不可测的智慧，再使用深不可测的智慧来沟通心术。哪怕在神明与天道混为一体之时，也可以推测出事物变化的道理，可以解释宇宙无穷无尽的奥秘。我们应该懂得，不同的智略计谋，各有自己的特征，有的具有灵活性，有的具有规定性；有的运用在暗处，有的公开实施；有的可致吉祥，有的可招凶灾，好似万事万类那样各不相同。所以圣智之士掌握了计谋的特征和用法，像转动圆体般地生发无穷无尽的计谋，以确定哪个可以合于事情，合于时机。所以圣人能够与造化天地万物的原气合而为一，其动作行为中无不与天地之道相合，以此而能明察幽暗深微的事物环境。天地是广大无边的，人事是无穷无尽的。所有这些又各以其特点分成不同的类别。计谋也是如此多样。观察别人的计谋特征，就可以测知它的结果成败。一般人转圆出计，有的能导致计谋成功，有的却导致事情失败。圣智之士明晓大道，凭此可以预知成败存亡，所以能从无穷的计谋中选取最合事情，最合时宜的计谋来制定切实可行的措施。这里所说的“圆”，是为了迎合君主需要而摆出的种种解决问题的计谋。这里所说的“方”，是指其中最可圆满解决这一具体问题的策略措施。所谓从圆到方的“转化”是为了考察哪种计谋最合用。所以要接触实际问题，是为了观测君主对待这一问题的真实态度。我们都探知了所有问题的症结所在，就要抓住关键环节，接着君主所讲的解决问题的真情实意的茬口，去制定解决问题的措施。

原文

（七）

损兑法灵蓍[1]。损兑者，机危[2]之决也。事有适然[3]，物有成败，机危之动[4]，不可不察。故圣人以无为待有德[5]，言察辞，合于事。兑者，知之也；损者，行之也。损之说之[6]，物有不可[7]者，圣人不为之辞。故智者不以言失人之言，故辞不烦[8]而心不虚，志不乱而意不邪[9]。当[10]其难易而后为之谋，因自然之道以为实[11]。圆者不行，方者不止[12]，是谓大功[13]。益之损之，皆为之辞。用分威散势之权[14]，以见其兑威[15]、其机危、乃为之决。故善损兑者，譬若决水于千仞之堤[16]，转圆石于万仞之谿[17]。而能行此者，形势不得不然也。

注释

①损兑法灵蓍：灵蓍占兆于事物未然之前，损之益之，亦应在事物初兆之时，故损兑法灵蓍也。蓍，筮占之草。兑，俞樾云："益也"。

②机危：事物的关键时机，紧要关头。

③适然：发展方向。适，《广韵》："往也。"

④动：萌发，发展。

⑤有德：有德者生，此指事情发展动态。

⑥损之说之：说，疑兑之讹。损之兑之，承上文而言。

⑦不可：不合，不相适应。

⑧烦：烦乱，复杂纷乱。

⑨邪：邪僻。

⑩当：判定。《汉书·杨恽传》"廷尉当恽大逆无道"，颜师古注："当，谓处断其罪。"

⑪实：实际。此指实行措施。

⑫圆者……不止：圆的计谋不善自运行，方的计谋不随便停止。

⑬是谓大功：这就叫作"大功"。

⑭权：权术。

⑮威：威慑。危：通微，微小。

⑯决水……之堤：扒开千仞高的大堤放水。以喻势不可挡。仞，八尺为仞。

⑰转圆石……之豁：把圆石推下万仞深的豁谷。以喻势猛。

【译文】

要预测事物的损益就要效法灵蓍。所谓损益，取决于事物刚刚有征兆的时候。事情的发展有是否适时的问题，也有成败的问题，即使是很轻微的变化，也不可不细心观察。所以，圣智之士都用无为而为之的态度对待事物发展，考察对方言辞，审视事态发展。所谓增益，必须在充分了解事态之后；所谓损减，必须在计谋实行中进行。损减也好，增益也好，必须适合事物实际。否则，圣智之士是不会随便开口说话的。所以，圣人不以自己的言论来改变人家的言论，因而能够做到言辞不烦乱，心气不虚弱，志意不紊乱，意念不邪僻。遇到问题，必定审度难易程度，再进行谋划决策，运用自然之道去制定实施措施。并且能使对手的良策不能付诸实践，能使对方的错误决策继续施行，因而大功在握。这也是用增益损减的办法，设置言辞去迷惑对方。并且运用分威散势权术，去掌握对手的损益变化，在事物发展的关键时刻给对方施加影响，让他实际上按我们的决策行事。所以说，善于损兑的人，就好像在千仞的大堤上决口放水，又好像在万丈的高山上向下滚动圆石。

【为人处世】

处世有道——徐文远用脊梁撑起一片天

做人当不失方正本性，处世不可太方，否则，易碰壁。要学会圆融处世，能适应，会变通，左右逢源也可偶一为之。要记住，知世故而不世故，有所不为才有所为。

自古做人难，做人要懂得方圆之道。方是做人的脊梁，是壮士立志、平天下的气度；圆是处世的锦囊，是聪明者协调乾坤的行为准则。为人处世要方圆有度，在方中做人，在圆中归真，做到千变万化，才可圆润通达。

隋文帝开皇年间，著名儒家学者沈重于太学讲经，弟子常常多

达千人，其中一人便是徐文远。徐文远是名门之后，由于家道中落，其兄徐文林常在街上摆摊卖书，文远每日到哥哥的书摊上读书。经过长期刻苦自学，他博通五经。这一次他听沈重讲经，只听讲数日便辞行。有人问他缘由，他回答说："先生讲的都是书本上的话，我早就背熟了。至于其中奥妙之处，先生没有发现，当然也不能讲出来。"沈重听到文远的话后，立即召见这个"狂妄"的孩子。两人见面经过一番交谈之后，沈重十分赞叹徐文远的才能。后来，隋文帝任命徐文远为太学博士，又命他到并州为汉王杨谅讲授经书。由于汉王杨谅谋反，文远亦受牵连而被撤职，贬为庶民。

隋炀帝大业初年，由于礼部侍郎许善心的推荐，徐文远在国都洛阳再次被任为国子博士，开始传道授业。他讲课常使学生听而忘倦，受到国子诸生的欢迎。除授业国子诸生外，隋末几个著名人物窦威、杨玄感、李密、王世充等均先后受学于他。由于他学识渊博、品性方正，所以虽当时战乱无常，当政者均请他为学官。

隋炀帝败死后，越王杨侗被立为恭帝，即命他为国子祭酒。当时洛阳饥荒，徐文远只得亲自出城打柴维持生计，农民义军领袖李密见到了徐文远，便请他坐在朝南的上座，自己则率领手下兵士向他参拜行礼，拜他为师，请求他为自己效力。徐文远对李密说："如果将军你决心效仿伊尹、霍光，在危险之际辅佐皇室，那我虽然年迈，仍然希望能为你尽心尽力。但如果你要学王莽、董卓，在皇室遭遇危难的时刻，趁机篡位夺权，那我这个年迈体衰之人就不能帮你什么了。"李密答谢说："我敬听您的教诲。"

后来，李密战败，徐文远投奔了王世充。王世充也曾是徐文远的学生，他见到徐文远十分高兴，赐给他锦衣玉食。徐文远每次见到王世充，总要十分谦恭地对他行礼。有人问他："听说您对李密十分倨傲，对王世充却恭敬万分，这是为什么呢？"徐文远回答说："李密是个谦谦君子，所以像郦生对待刘邦那样用狂傲的方式对待他，他也能够接受；王世充却是个阴险小人，即使是老朋友也可能会被他杀死，所以我必须小心谨慎地与他相处。我察看时机而采取相应的对策，难道不应该如此吗？"等到王世充也归顺唐朝后，徐文远又被任命为国子博士，很受唐太宗李世民的重用。

鬼谷子在《本经阴符七术》中说："转圆者，无穷之计。无穷者，必有圣人之心，以原不测之智而通心术。而神道混沌为一。"转圆者就是让计谋像圆体一样无穷无尽地产生。要有圣人的胸怀，领会、探究那些奇策妙计。转圆，是为人处世的一个根本要领。隋末唐初，正值乱世，徐文远乃一介书生，他之所以能在此乱世保全自己，屡被重用，就是因为他为人处事十分圆融，针对不同的人有不同的应对之法。

【管理谋略】

睿智通达——曾国藩的功名道行

清朝时，一个小贼深夜行窃来到一户人家，发现一位年轻人正在埋头苦读，小贼便潜伏在屋檐下，希望等读书人睡觉之后行窃。无奈贼人听年轻人翻来覆去地读同一篇文章，却一直无法记诵。无法忍耐的贼人有些恼怒，跳出来说："这种水平还读书干什么？"随后将那文章背诵一遍，扬长而去！这则故事中的读书人便是后来大名鼎鼎的曾国藩，而贼人虽然自诩聪明，却依旧是个无名小贼。

曾有句话在民间广为流传：从政要学曾国藩，经商要学胡雪岩。作为清朝官场的翘楚，曾国藩从湖南双峰一个偏僻的小山村以一介书生入京赴考，中进士留京师后十年七迁，连升十级，37 岁任礼部侍郎，官至二品，在这期间，他历任工、刑、吏部的侍郎。和他的高速升迁相比，大清朝的国势则在日渐衰退。

考中进士是曾国藩从政生涯的起点，同时也是他新生活的开端。他甚至将自己的名号都改换门庭。曾国藩本名子城，到京城后，先改号涤生，取荡涤旧事、告别昨天之意，后又改名国藩，即国家的栋梁。正如这个带有预见性的名字一样，他一步步走向权力的巅峰，

撑起晚清的大局。

后来，曾国藩因母丧返乡，恰逢太平天国巨澜横扫湖湘大地，他因势在家乡拉起了一支特别的民团湘军，历尽艰辛为清王朝平定了天下，被封为一等勇毅侯，成为清代以文人而封武侯的第一人，后历任两江总督、直隶总督，官居一品。

想当初，训练地方军队之时，与曾国藩同时受命在地方组织乡勇团练的不止湖南一地，后来却只有湘军成功，就是因为曾国藩独到的识人用人之术。旁人只招募勇丁，曾国藩却是“用绅士为将，用农夫为勇”。

初募湘军之时，曾国藩每天亲自坐在招募处，看到“黑脚杆乂不多话的乡野老实之人”，就出声“好，好”，此人就录取了；看到“白面皮的城市之人”或话多之人，就出声“唔、唔”，此人就不选入。湘军后来膨胀到数十万人，当然不可能由曾大帅一一面试，但是麾下所有营官（校级）、统领（将级）仍然全都由他委派、批准。

曾国藩后来留下了《冰鉴》一部相人之书，曾为后人识人、用人的参考范本。《冰鉴》中有几句相术口诀：邪正看眼鼻，真假看嘴唇；功名看气概，富贵看精神；主意看指爪，风波看脚筋；若要看条理，全在语言中。

当经过多年的忍辱负重，湘军终于攻克了金陵；当席卷江南的太平军已经灰飞烟灭，代之而起的是以湘军为核心的精强剽悍的武装部队；当在历史的风云突变下，洪秀全倒下，湘军和太平军调换了位置，成为最高统治者的心腹大患，他选择的只是将胡林翼的试探对联“神所依凭，将在德矣；鼎之轻重，似可问焉”更改一字。未可问鼎，一字窥见其虑。

曾国藩一生可谓杀人如麻、树敌无数，仇敌恨他“必啖之而后快”，但是曾国藩最厉害的一门功夫就是持盈保泰，在他的家书、日记当中，不断出现自我戒惕与警告弟子的言语，所以他能得善其身。

臣子最惧怕的就是惹恼皇帝，只要达到“功高震主、才大压主、权大欺主、富可敌主”四条中的任何一条，若不急流勇退，必然不得善终。曾国藩一方面看透了“狡兔死，走狗烹”的生存法则，另一方面又的确不想或不敢“黄袍加身”，毕竟“百足之虫，死而不僵”，改朝换代的风险实在太大，因此，他选择了“退”。

综观曾国藩的一生，似乎功成名就、善始善终，然而，又说不上幸福。但是，他精湛的“内功”又不得不令人佩服。《本经阴符七术》曰：“盛神法五龙。盛神中有五气，神为之长，心为之舍，德为之大。”五气就是指精、神、魂、魄、志。而曾国藩，不仅博才多学，更懂得养精蓄锐，相面识人，精气神皆通。不仅精神饱满，更是思维敏捷，反应神速。湘军的纵横驰骋便是最好的证明。

曾国藩是一个人，一个血肉丰满的世俗中人，是一个集名利于一身的人。在他身上，可以说集中了中国传统官僚的所有特点，也掺杂了一些文人的品格。所以章太炎评价曾国藩说：“誉之则为圣相，谳之则为元凶。”

【商战博弈】

拼闯胆魄——“恒安”的发展史

马来西亚吉隆坡，车水马龙，人潮汹涌。

在离市中心不远处的一座大厦内，正在举办一场国际性的商贸洽谈会。来自中国福建的恒安集团也参加了这次商贸会，场内热闹非凡，但是恒安集团的当家人许连捷却蹦着一张脸，怎么也高兴不起来。

他原以为在这次商贸会上自己公司生产的卫生巾能引起各贸易商的兴趣，但实际上人们只是在他的展台上转了一会儿就走开了。他很困惑——自己带来的“安乐”卫生巾在国内的销量一直处于领先地位，为什么到了国外就“水土不服”了？许连捷接连问了几个人，考察了一下其他国家的卫生巾产品，这才发现，自己企业生产的直条形的低档卫生巾国外多年前早已不生产了。

从大马回来后，许连捷将自己关在办公室里，接连几天不见人，一个多礼拜后，他向恒安的全体员工宣布，要彻底地进行一次技术和设备的革新，唯有如此，“恒安”才会有更大的生存和发展空间。任何一次革新都充满了艰难险阻。对于许连捷来说也不例外。

他决定引进当时最先进的成套设备，开发生产护翼高档卫生巾、热风无纺布、流延薄膜等高精尖产品。但是问题也同时出现，引进高档设备与中档设备比，价格相差5倍，差额人民币1亿多元。巨大的差额，让一些股东开始犹豫，有的甚至极力反对。

“决断前，要倾听多数人的意见，但做出决断的只有一个人。”

“只有引进高档设备，才能从根本上摆脱低水平的竞争。”

在说服了大多数持反对意见的股东后，国际一流的先进设备落户恒安集团。第二年，高档护翼卫生巾热销全国。此后，恒安集团一路凯歌、青云直上、连连报捷。到1998年又进行了一番大刀阔斧的体制改革，并在香港联交所正式挂牌，以10倍的市盈率顺利入市，同时创下了这年港股上市最高市盈率和最高认购倍数的奇迹。

有人说许连捷有胆识，有眼光，有魄力，而在许连捷自己看来，或许是福建人不安现状，天生爱闯的性格造就了现在的自己和现在的恒安集团。

他永远也忘不了在自己12岁那年，为了不挨饿受冻，到相邻各村买卖鸡蛋、芋头被以“投机倒把”的罪名抓起来，关进“学习班”的往事。这件事并没有让许连捷停下“创富”的脚步，或许可以这样说，正因为这件事，让他更坚定了“提篮小卖成不了气候，小打小闹成不了大富”的信念。小小年纪的许连捷无时无刻不在寻找机会，思虑着大干一番事业。

1979年，就在大多数人还期盼过上“穿暖、吃饱、有良田”的生活时，许连捷和自己的朋友、亲戚一起创办起了“后林”服装加工厂，没多久，当地很多农民摇身一变成了这家工厂的工人。靠着干劲和诚信，大批订单接踵来到了后林服装厂。1983年，后林服装厂赚了50万元。而许连捷也到了他的而立之年。

就在服装厂如日中天之际，在许连捷的生命中出现了一个极其重要的人，正是这个人改变了许连捷的事业方向。1984 年 11 月的一天，一个叫杨荣春的人拿着一叠来自香港的卫生巾设备说明书，敲开了许连捷的大门。听了这个老乡的介绍后，许连捷的内心泛起层层涟漪。就在杨荣春走后的当晚，许连捷做出了也许是人生中最重要的两大决定：将工厂搬到人才济济、发展空间大的安海；停止生产服装，“转产”开发卫生巾。

当得知许连捷的决定后，身边很多人都提出了反对意见，他们愤愤提出自己的疑问：服装厂做得好好的，为什么要瞎折腾做难以启齿的卫生巾？现在年年都盈利，做卫生巾要购买新的设备，投入这么大的资金，最后亏本了怎么办？

大家的疑虑和担心并不是没有道理，毕竟做新行业、新产品等于重头再来一次，前面的路到底是宽的还是窄的，谁都难以预料。此时的许连捷拿出当年买卖鸡蛋和创办服装厂的魄力对大家说：“不闯一闯，不干一干，怎么知道不行？如果被别人捷足先登了，那真的就晚了！”

1985 年，许连捷与港商合资成立“恒安实业有限公司”，从香港购进一条生产线，同时招聘 100 多名工人，经过严格培训后上岗。很快，第一批产品下线了，许连捷将其取名为“安乐”。到 20 世纪 90 年代初期，恒安生产的“安乐”卫生巾已经占据了全国卫生巾 40% 以上的市场份额，几乎成了卫生巾的代名词。

在许连捷的事业节节攀高之际，“恒安”的名字也从“恒安实业有限公司”更名为“福建恒安集团有限公司”。

如果让现在的许连捷回过头去看看 20 世纪 90 年代中期做出的那些决定，完成的那些改革，包括企业上市在内，或许这位被人们称为“晋江商业教父”的老总会淡淡的一笑，说“那是企业发展的必然，不是我一个人的功劳”。但不可否认的是，许连捷身上所具备的闽商特有的敢拼敢闯的性格无疑对他有着深刻的影响，而显然，这种影响也浸润到了企业的文化中。

自 1998 年开始，恒安集团完全放弃了在中低端市场的攻城略地，全力推动在国内高级生活用纸的飞跃。“心相印”纸品如同当年的安乐卫生巾一样，已经成了领军同行的第一品牌。

1953年出生的许连捷在晋江商人圈里是个很具代表性的人物，相较于“晋江商业教父”这个称号，许连捷更喜欢别人叫他“创业导师”。他说自己是个乡巴佬，没文化，没管理经验，“进入这个行业的时候什么都不懂，所有的东西都是拼闯出来的。”

这种“拼闯”当然不是毫无目的，没有规划，无头苍蝇般的乱闯乱撞，对于许连捷来说，“大胆、创新求变，敏锐的洞察力”才是他对福建人“拼闯”性格的真正注解。

现在的恒安集团已经不用像多年前那样用年销售收入50亿元、全国30余家分公司这些冰冷的数字向它的客户作介绍。无论是对晋江当地企业还是对同行业的其他企业，许连捷“大胆、创新求变，敏锐的洞察力”的成功方式都令他们学习良多。

“他的经营思路启发过不少人，”一位与许连捷有过深入接触的职业经理人毫不吝啬他的夸奖，“晋江有许多成功的商人，但称得上企业家的，只有许连捷一位。”

有的媒体称许连捷为草根企业家，这不仅是因为许连捷出生贫苦，更因为他的经营理念，他的管理思想直接、管用、易操作，为当地民营企业提供了不少“恒安样本”。拿资本运作来说，恒安在1998年就已经懂得如何运用企业上市这一战略来扩充资金，扩大影响，而晋江企业大量奔赴资本市场是这几年才有的事，比恒安集团整整晚了十年。

《鬼谷子》说：“盛神，中有五气，神为之长，心为舍，德为之大。”何谓盛神？体中有精、神、魂、魄、志等五脏之气，神气居于首要位置，心是神的居所，德是神气的制约。胆识和魄力是许连捷成功的法宝。蹲过“学习班”，开过小工厂，跑过大市场，每一次的向前行走，都深刻烙印下这个晋江汉子坚定的脚步。当人们一次次地发出“福建商人凭什么”的疑问时，许连捷已经用自己的行动做了明确的回答。1979年到2009年，这30年的商海沉浮，让这个身材不算高大的企业家从成熟走向成功，从成功走向辉煌。拼搏只是一种手段，而思维和胆魄才是关键所在。

英勇无畏——“职场英雄”艾柯卡

在阿根廷的潘帕斯大草原上，很多人都曾经奢望过驯服野狼，但却没有人成功过。草原当中狗是牧羊人必不可少的动物，牧羊犬可以帮牧羊人管理羊群，驱赶一些企图侵袭羊群的野兽。狼和狗的科类相同，但狗的嗅觉、视觉、听觉等都不如狼发达，奔跑速度也没有狼快，因此牧民们渴望能够驯服野狼，以帮助自己管理羊群。

可是狼天生存在的难以驯服的野性，造就了他不可能被人类驯服的必然。我们是应该鄙视狼的那种野性还是应该有所保留呢？很显然是后者。在这个世界上，没有任何动物包括人，能够像狼那样不屈不挠地按照自己的意志生活，甚至不惜以生命为代价，来抗击几乎不可抵抗的敌对力量。

回顾一下历史，再看眼前的现实社会，那些不轻易屈服的人，常常能实现自己的价值。这说明一个人只要能够消除畏惧，听从意志的声音，敢于向强手、向困难发起挑战，那么这个人就会有成功的可能。

李·艾柯卡是商业界的传奇人物，没有哪位企业家像他那样命运坎坷、大起大落。每当面对常人难以想象的困难，他斗志昂扬，必定向不可能发出“可能”的“呼喊”。从一个默默无闻的汽车推销员开始，经过多年的奋斗，他终于如愿以偿地登上福特汽车公司总裁的宝座，成了这家企业的二号人物。在任期间，他创下了空前的汽车销售纪录，为公司赢利数十亿美元，从而成为汽车界的风云人物。然而就在他最春风得意的时候，却莫名其妙地被老板解了职。

从事业的最高峰跌入万丈深渊，从声名显赫到一无所有，这给他带来了沉重的打击，几乎置他于死地。妻子气得心脏病发作，女儿埋怨他无能。他满腔的屈辱、愤怒，几近疯狂，但他最终没有垮掉，也没有向命运屈服。

就在他最困难的时候，克莱斯勒公司向他发来邀请。雄心不灭的他再次接受了挑战，出任克莱斯勒公司总裁，不到一年又登上了公司董事长的宝座。可是克莱斯勒公司在当时面临巨大的困境，已经到了濒临破产的境地。由于前任决策者的失误，公司变成了一盘散沙，管理松散，纪律松弛，35 位副总裁各自为政，彼此隔膜；财务混乱，现金枯竭；产品质量问题严重，待处理事项堆积如山。

为了维持公司最低限度的生产活动，艾柯卡请求政府给予紧急经济援助，提供贷款担保。这一请求给他带来巨大的压力，社会舆论几乎众口一词：按照企业自由竞争原则，政府决不应该给予经济援助，克莱斯勒应该倒闭。国会为此而举行了听证会，他就像乞丐一样到政府各个小组委员会面前接受质询，那简直就是在接受审判，但他成功了。艾柯卡断然采取行动，针对公司的种种弊病，大刀阔斧地进行改革。他关闭了克莱斯勒公司 20 个工厂，进行大规模的裁员和减薪，集中公司的人力物力财力，把准市场的脉搏，尽快拿出适销对路的产品。在短短几年的时间里，他克服了难以想象的困难，终于带领公司奇迹般地从灰烬中站了起来，并保持着强劲的发展势头。

《鬼谷子》认为：修身养性是一种境界，更是一种内在的实质。如果一个人的心志都得不到修养，那么五气就不会稳固；五气不稳固，思想就不会舒畅；思想不舒畅，意志就不会坚定；意志不坚定，应付外界的能力就不强；应付外界能力不强，就容易丧失意志，心里空虚；丧失意志，心里空虚，就丧失了神智。艾柯卡成了美国人心目中的英雄人物，他用自己勇敢无畏的精神塑造了一个职场强者的光辉形象。任何时候都表现出桀骜不驯的人，是勇敢者，在一切恶劣的社会环境和自然环境当中，都有着按自己的意志行事的强大生命力，他们坚决的信念是不可被驯服的。他们可以无所顾忌地向着奋斗目标英勇前进；他们能够不怕危险和失败，具有勇于挑战自我的气魄；他们不断突破、改造自己，并力图寻找对手和敌人，以此来激发斗志，发挥潜能。只有这样勇敢地迎接一切挑战，才会迎来事业的辉煌。

持枢

经典再现

摘要

“持枢”篇揭示的是一种回归自然，天人合一的思想。凝结了鬼谷子对天道的深刻透析。不足之处就在于章节太短，很像是遗留下的残卷。尹知章在《鬼谷子注》中曰：“此持枢之术，恨太简促，畅理不尽。或编篇既烂，本不能全也。”

《持枢》曰：“春生、夏长、秋收、冬藏，天之正也，不可干而逆之。”清晰地指出了逆天而行必将衰亡的客观事实，意在让君王以此为警戒。力图引导君王顺应天道，敬天爱民。这种思想不仅顺应了自然的发展规律，更是推动社会进步，治国安邦的处世哲学。

掌握事物的规律，要因势利导、顺势为之，不能逆道而行。因此，君王应该秉持“持枢”之要义，以天道行人道，做到顺时而行，顺事而为。这样就能让百姓休养生息，安居乐业，社会就能稳步发展。有了百姓的支持，兴国安邦也就是水到渠成的事。

原文

持枢①，谓春生、夏长、秋收、冬藏，天之正也。不可干②而逆之，逆之者，虽成必败③。故人君亦有天枢，生、养、成、藏，亦复不可干而逆之，逆之者，虽盛必衰④。此天道，人君之大纲⑤也。

注释

①持枢：讲述自然界的基本运转规律。正，规律，准则；持，掌管、执掌；枢，本指户枢。洞察事物生成发展的根本原则，以便采取能适应的行动。

②干：干扰，干犯。

③逆之……必败：元亮曰：“含气之类，顺之必悦，逆之必怒，况天为万物之尊而逆之乎？”元亮，东晋陶潜字，高蹈隐居避世者。

④逆之……必衰：违背民意的人，即使暂时强大，也终归要失败，要衰弱下去。

⑤大纲：基本纲领。

译文

持枢，讲的是掌握自然之道。就是说，春天万物萌生，夏天万物成长，到了秋天万物收获，冬季寒冷万物储藏。这就是自然界运行的正常法则，决不可企图改变和违背这些规律。若违背了这种法则，即使有成功的可能，也终究会失败。所以说，作为君主治理国事也有一定法则，使百姓生息，使百姓安居乐业，把百姓教养成才，万万不可违背民意，倒行逆施。这是顺应自然之道而不可扰乱的。违背民意的人，即使一时强大，也终归要失败，要衰弱下去。这种基本法则，也是君主治世应效法的基本纲领。

【为人处世】

事随时变——趋利避害有“秘方”

顺应天时，是“持枢”之要义。春夏秋冬各有不同，人的一生也会波澜起伏，每时每刻都在发生着变化。但是，万变不离其宗。能相时而动，懂得顺势而为，就能招财进宝，事事畅通。

相时而动、顺势而为是为人处世的法宝。因为生活中充满了诱惑，更充满了凶险。许多人为了一己之利，你争我夺，往往会拼个你死我活，鱼死网破，稍有不慎就有可能身败名裂。

胡雪岩一直奉行“人随天变”。他相信凡事都讲究天时地利，天时不是人可以改变的。急功近利往往可能获得一时的利益，但是要做得长远，一定要顺应天时。就像诸葛亮“草船借箭”，他必须等到第三天江雾弥漫，计谋才能实施，才能“借”到箭。

胡雪岩是中国历史上第一个以商人的身份替政府引入外资的人。在他之前，清政府一直反对任何人以个人的身份跟洋人借贷，即使军机首辅恭亲王奕䜣，拟定向洋人借款一千万两白银用于买船，也没有获得批准。

胡雪岩一直信奉中国有一句古话，叫“与其待时，不如乘势”。许多看起来难办的大事，居然顺顺利利地办成了，就因为懂得乘势的缘故。”同样是跟洋人借款，时机不同，自然结果也会不同。以前跟洋人借款，总是受到洋人的百般刁难，即使恭亲王有心，但是在几次碰壁之后也不愿意再自讨欺辱，自然不会坚持借款。当时的清政府确实没有必须借款的需求。

首先，现在形势不一样了。当时清政府正在跟太平军周旋，洋人势必会看出清政府围剿太平天国运动的决心，也势必会为了保护他们在中国的发展而出钱出力，资助清政府维护国内的稳定。如此一来，不但不会刁难，还会主动给予很大的支持，清政府从中感受到了洋人的诚意，断然不会拒绝。

其次，以前的清政府，没有重要的军务在身，即使是购买船只，也不过是备不时之需，并不急迫。可是现在，军务重于一切，而重中之重又是镇压太平天国，以军务之急跟朝廷申请借款，朝廷只会听从。

再次，此时跟朝廷申请借款的人是左宗棠，他手中握有重兵，在镇压太平天国之中屡立战功，深得朝廷的信任。他跟朝廷说话，自然有分量。

无论从哪方面来说，跟洋人借款，都是大势所趋，是手到擒来之事。胡雪岩没有放弃这么好的机会，在左宗棠的帮助下，大借洋债，不仅大大地扩展了自己的生意，更得到了朝廷的肯定和信任。

胡雪岩只不过是在顺势的基础之上，更加懂得推测事情的发展趋势，从中获利。胡雪岩的商道作为，其实也同样适应我们的生活。例如，我们在跟别人提意见的时候，如果他的心情很好，而且确实很有建设性，可行性也很强，那么必然会被接纳，可是如果对方心情不好，那么即使是好的建议，也有可能被否决，特别是对一些性情中人，更是要看准时机，才能行动。顺势而为，就能把握机遇，更能在关键时候化解灾难。

《三国志·诸葛恪传》记载：诸葛恪自幼勤奋好学，聪明过人，当时被誉为神童。其父诸葛瑾，字子瑜，是东吴孙权手下谋臣之一。诸葛瑾脸长得很长，有人戏称“驴脸”。一日，孙权大宴群臣，酒足饭饱之时，孙权突然心血来潮，叫人牵一头驴来，拿个纸条，上面写了“诸葛子瑜”四个字，然后将纸条贴在驴头上，意思是说，这就是驴脸的诸葛瑾。在场的人哄堂大笑，正当诸葛瑾非常难堪之时，随其一块赴宴的儿子诸葛恪马上想出了一个给父亲解围的办法。只见他走到孙权面前，跪下道：“小臣请笔，添两个字。”孙权觉得诸葛恪挺可爱的，便应允了。诸葛恪拿起笔，在纸条上“诸葛子瑜”四个字的下面又添了“之驴”两个字。然后，牵着驴就往家里走。孙权望着写有“诸葛子瑜之驴”几个字的纸条，一时无话可说。诸葛恪“顺手牵羊”之术，应变孙权对其父的戏弄，不仅为父亲挽回了面子，而且白白拣了一头驴。

面临君王的故意戏弄和刁难，诸葛恪选择了顺手牵羊的应变之术来化解尴尬，在保持既得利益的基础上，还赢得了意外的收益，同时还照顾到了君王的面子，真是一举三得的良策。

捕获机会，见机而动，这个道理并不难理解，但许多人却遗憾地失去了成功的机会。失机的原因恐怕体现在两个环节上，一个是识机，一个是择机。时机来到，有的人能及时发现，有的人却视而不见，有的人虽然有所发现，但认识不清，把握不准，对机会的认识决定了对机会的选择。

在面对人生的一些尴尬和困境时，如果直面困境、顶风而上，往往会使矛盾更加激化；如果顺势而为、灵活应对，则会缓和气氛，化解冲突，有时还可以顺手牵羊、趁机取利。不能识机，也就无所谓择机，识机不深不明，便会在选择上犹豫徘徊，左顾右盼，不能当机立断，最终错失良机。

【管理谋略】

随道而行——李泌的行藏人生

古人讲进退，是指做官还是退隐的问题，薛文清说："进将有为，退将自修。君子出处，唯此二事。"这是古人的进退观，正是"穷则独善其身，达则兼济天下"。最高明的智者会在出世和入世间进退自如，不受名利的束缚，既能全身，又能成就大业。李泌就是这一方面的典型代表。

曾有一首《咏方圆动静》的诗这样写道："方如行义，圆如用智。动如逞才，静如遂意。"这首并不太像诗的"小诗"，是唐代一位奇人所作，他当时只是一名年仅七岁的小小孩童。此人就是有"白衣宰相"之称的李泌。

李泌小时候就有"神童"之称，深得唐玄宗的喜爱。后来他与当时还是太子的肃宗相识。到安史之乱时，肃宗面对强大的叛军，很想找些心腹来帮忙，于是他请来了隐居的李泌。

说起来唐王朝没有在安史之乱的战火中灰飞烟灭，一方面多亏了郭子仪、李光弼等大将的浴血奋战、殊死报唐，另一方面也多亏了李泌那条"山人妙计"。

唐肃宗收复京师之后，李泌去见肃宗。唐肃宗留李泌宴饮，同榻而眠。当时，李泌常受小人猜忌和陷害，为了明哲保身，他决定退隐山林。在隐退之前，他决心尽自己的最后一次努力，保护自己曾经爱护的皇太子广平王李豫。

当天晚上，李泌对肃宗说："臣已略报圣恩，请准我做闲人。"

肃宗惊异，说："我同先生忧患多年，应该与先生同乐，您为何要离去呢？"

李泌答道："臣有五不可留，愿陛下让我离去，免于一死。"

唐肃宗问："这五不可留指什么呢？"

李泌答道："我遇陛下太早，陛下任我太重，宠信我太深，我的功劳太高，事迹太奇，有此五虑。陛下若不让我走，就是杀了臣。"

肃宗不解地说："先生为什么怀疑我？朕不是疯子，为什么要杀先生呢？"

李泌道："正是陛下不杀我，我才敢请求归山，否则我怎么敢说？并且我说被杀，不是指陛下，而是指那五点原因。我想，陛下对臣这么信任，有些话尚且不敢说，等天下安定了，我哪敢再说什么！"

肃宗说："我知道了，先生要北伐，我不听从您的建议，先生您生气了。"

李泌回答："不是，我说的是建宁王一事。"原来，不久前，肃宗听信奸臣诬告，建宁王李倓被赐死。

肃宗说："建宁王听信小人的话，谋害长史，想夺储位，我不得不赐他死，难道先生还不知道吗？"

李泌又说："建宁王倘若有此心，广平王必定会怨恨他，可是广平王每次与我谈话，都说弟弟冤枉，泪如雨下。况且，以前陛下想用建宁王为天下兵马大元帅，我请改任广平王。建宁王要是想夺太子的地位，一定会恨臣，为什么他认为我是忠心，对我更加亲善呢？"

听到这里，肃宗也不禁流泪道："我知道错了，先生说得很对，但是事情既然已经过去了，我也不想再提。"

李泌说："我不是要追究以前的责任，是为了让陛下警戒将来。当年则天皇后有四个儿子，她错杀了太子弘，立次子李贤为太子。次子内心忧惧，作《黄台瓜》一词，想感动则天皇后，但则天皇后不予理睬。李贤被废之后，死在贬所黔中。《黄台瓜》一词是这样说的：'种瓜黄台下，瓜熟子离离。一摘使瓜好，更摘使瓜稀，三摘尤可为，四摘抱蔓归。'陛下已经摘了一个大瓜了，千万不要再摘了。"

肃宗惊奇地说："怎么会有这种事？我当把这词写在绅带上，时时警惕。"

李泌说："只要陛下记在心中就行了。"之后，李泌就归隐泉林了。

直到唐代宗继位，他又被请出山，出任朝廷要职。后来遭排挤，便安然退隐。待到唐德宗朝，李泌再次出山。

李泌一生，身经四朝，于安史之乱等危难之时，他鼎力相助，以大智慧定策平贼，居功甚伟。四朝皇帝都对他恩宠有加，奉为师友，亲密至极，是名副其实的“帝王之师”。李泌如果想要一般人梦里也想的高官厚禄，那简直是唾手可得。但他却身在朝堂，心在山川，天下稍有安定，就退步抽身，远走隐退。正所谓“大隐隐于朝”，李泌实在是深得道家精髓的绝世高人。

《持枢》中云：“谓春生、夏长、秋收、冬藏，天之正也……不可干而逆之。”万物生长顺应自然界的运转规律和正常的运行法则，人君治世也要有一定的法则。李泌四隐四仕，能够顺其自然，还做到了“用之则行，舍之则藏”，“行”则建功立业，“藏”则修身养性，无论“行”还是“藏”都过得十分充实。李泌对待个人进退荣辱的平静心态，对于今人的影响依然很大。

【商战博弈】

因地制宜——市场变化的“测风仪”

市场是企业赖以生存和发展的空间，市场的变化是决定企业兴衰的首要条件，因此，企业要跟着市场变化，时刻调整组织结构，企业要走在市场的前面。在全球市场激烈的竞争中，只有在市场上领先对手的企业，才能立于不败之地。

20世纪80年代初，杰克·韦尔奇刚刚执掌帅印，公司就开始了大规模地从制造业向服务业的战略转型。杰克·韦尔奇预感到未来的市场将没有国家的界限了，那时的市场会逐渐从一个国家的市场变成世界性的市场。尽管在80年代初公司的制造业仍然表现良好，有很高的利润，但是硬件生产的成功并不等于企业的成功。当大多数企业的产品质量相差无几时，这时产生的竞争就会体现在服务上，服务的好坏在不同的企业会有差异，企业将越来越重视服务和服务质量。

公司领导人意识到服务导向比产品导向重要，于是公司的重点从卖产品转变为向用户提供解决方案，从提供产品并辅之以提供服务转变为继续提供高质量的产品，还要提供以客户为中心、以信息技术为基础、旨在提高客户生产率的各种高价值的解决方案，公司公开宣称："下个世纪的蓝图是，公司不仅将是一个销售高质量产品的公司，还是一个提供全球性服务的公司。"但是，当杰克·韦尔奇把整个公司从制造业向服务业转型时，遭到了非议和抵制，很多人反对这种变革，指责杰克·韦尔奇是发了疯，是要把公司推向死亡。

三四年以后，美国几乎所有企业都感到了世界市场变化的压力，被迫纷纷转向服务性企业，此时通用电气公司已经先于他人走了三四年，服务已成为公司取得持续性增长的重要措施，是公司高速发展的主发动机。走在市场前面的杰克·韦尔奇超前的眼光和通用电气公司所取得的成绩令人叹为观止。1980 年，通用电气公司 85% 的利润来自于制造业，而现在有四分之三的利润来自于服务业。

大家对杰克·韦尔奇刮目相看。这才感到杰克·韦尔奇当时不是发疯，而是做到了根据市场变化，时刻调整组织机构。没有对市场变化的适应性调整，没有大规模的战略转型，就没有通用电气公司的今天。20 多年来，通用电气公司从制造业到服务业，再到电子商务化，都是跟着市场一步步走的。市场和客户改变，企业也要跟着变，而且改变要在市场变化之前完成。实践证明，企业要时刻根据市场变化调整组织结构，才能获得长远发展。

《持枢》中讲："故人君亦有天枢，生、养、成、藏，亦复不可干而逆之。"鬼谷子认为顺应自然规律，因地制宜，是成功的重要法则。在市场经济条件下，企业之间的竞争愈发激烈，企业能否在竞争中立于不败之地，关键在于能否适应市场营销的变化，适时建立起一个优化市场营销的管理系统，并能抓住机会选择最适合企业营销的有利手段，使市场营销达到整体优势。

市场营销体系的确立是以现代市场营销观念的确立为基础的。

市场营销活动必须有周密、详细、切实可行的策划，同时，更要结合市场，迅速反应，及时调整。因此，对生产企业的要求就是根据市场需求，生产出适合需求的新产品，才能在激烈的市场竞争中立足，从而取得企业利益最大化。

【职场之道】

适地生存——“照猫画虎”拓市场

占领市场，最重要的就是抓住市场的运作规律，顺应市场某种层次的要求，适地生存，才能把握住生存的规律。市场战略是全局性的，是具有指导意义的，是根据形势需求指定的长期性规划，是稳定的、坚定的；但面对多变的市场形势，应用战术可以灵活的、多变的，是围绕战略思想，将现实的利益、现实的合理性与未来的发展、长期的发展有效结合起来。

职场上，你要会站在上司的立场考虑问题，了解上司的全盘战略思想，了解他为什么要这样做，这样做能带来什么样的效益，这种战略和现实有什么矛盾？当上司安排你做一些事情的时候，你要做到心中有数，既不要不问情况，不看实际地一味蛮干，也不要故作聪明地暗自跟老板较劲，消极怠工。

某公司出产了一种新品牌瓜子，在当地久负盛名，公司老板想把它尽快推向全国。因此，该公司负责销售的经理设定方案进行推销，即向国营店或个体户大力发展批发业务。李杰是负责这种瓜子上海业务的，当他按照总部的指挥采用这种战术时，不仅没有取得丝毫的效果，还处处碰壁。

原来，上海是“傻子”瓜子的天下。别的品牌根本无法轻易插足。李杰作为上海直销的负责人，当然知道“兵败滑铁卢”的原因，虽然他几次向总部提过建议和方案，但是得到的回应却始终如一——

按原计划行事，尽快打开上海的销路，否则一切责任自己承担。李杰在碰了一鼻子灰后，认真思考自己目前的形势：如果按照上司的要求行事，一定完不成任务，到头来也是“死”；如果不按照上司的要求行事，自作主张，若出了什么问题，还是“死”，左右是“死”路一条，与其“死在别人的手中”，不如让自己动手，或许还有峰回路转，柳暗花明的一天。

为了打开瓜子在上海地区的销路，李杰采用了新的推销方法。他们把装瓜子用的纸袋免费送给零售单位，广做宣传；对经营单位免费送货；在价格上实行薄利多销，还可推迟结算货款，方便经销者。由于采用了这种适宜于当地的推销方法，瓜子很快就占领了上海市场。

李杰没有一味地跟上司辩解，让上司接受自己的观点，也没有傻兮兮地按照总部的规定“照猫画虎”，而是按照上海当地实际情况灵活地改变了战术，使“阿凡提”瓜子得到了大卖。后来，李杰成功地打开上海这个大市场，为公司创造了很大的利益，公司自然会对一个有突出贡献的人给予奖励。李杰成功地完成了上级交代的任务，体现出了自己独特的价值，还为自己争取了利益。

掌握事物的规律，要因势利导、顺势为之，不能逆道而行。拓开市场，想要在商场里打开一片天地，也要顺势而为。当然，很多时候世界上往往没有这么完美的事情，想要适地生存，就要不变应万变，在原则的坚定性和策略的灵活性相结合的情况下，了解上司制订这个计划最终想要的和想要达到的目的，然后根据现实情况和自身力量，站在自己的立场思考该怎么做，如何做，做后会产生怎样的结果。要努力寻求自我发展，积极整合外部资源，团结可以团结的力量来争取最好的结果。

中经

经典再现

摘要

“中经”是鬼谷子鉴人、识才和制人的秘诀。中经主要论述的就是内动心计、外以制人的诸多方法。主张通过人的相貌来了解其本性，通过人的言语来了解其原义。这是一种内在精神的运用，是“本经阴符”的外用。其目的就要控制人心，达到制人而不制于人的目的。

“中经”论述了七种行事原则。

“见形为容，象体为貌”，实际上是一种观人术，就是通过察言观色以摸清对方的实际情况。“闻声和音”，实际就是一种美言结人术，就是从言谈中找到对方的各种情况和关系，并通过交谈来求得对方的信任，消除防备。“解仇斗隙”，实际就是一种驾驭术，就是坐山观虎斗，从细微的环节入手，使他们有竞争，进而挟制他们，坐收渔翁之利。“缀去”，就是把握背离自己的人的心态，留下余地，使之有后用。“却语”，就是批驳对方言谈中的漏洞，抓住对方的把柄，从而达到使其为我所用的目的。“摄心”，实际是一种收揽人心的方法，就是把握自己在对方心中的地位，采用不同的方法收买对方。“守义”，就是用各种仁义道德来约束他人的行为，达到摸清对方心态的目的。

这七种技巧和策略被游说策士们视为至宝，不仅钻研学习，更是变化百出，融会贯通，成了他们的奇门遁甲。

原文

（一）

中经[①]，谓振穷趋急，施之[②]能言厚德之人。救拘执[③]，穷者不忘恩也。能言者，俦善博惠[④]。施德者，依道[⑤]。而救拘执者，养使小人[6]。盖士遭世异时危[7]，或当因免阗[8]坑，或当伐害能言[9]，或当破德为雄[10]，或当抑拘成罪[11]，或当戚戚[12]自善，或当败败自立[13]。故道贵制人，不贵制于人也。制人者握权，制于人者失命。

【注释】

①中经：中，内心；经，经营、治理。中经，指以内心去经营外物。振穷趋急：振，起也。趋，向也。物有穷急，当振趋而向护之。穷，窘迫。

②施之：实施“振穷趋急”。能言：能言善辩。此言以言语助人、救人。

③拘执：被拘囚缚绑之人。

④侍善博惠：按：侍，并也，引申为多。侍善，多善，多做善事。巧于雄辩的人最能解决纠纷，所以就成为善人的好友而广施恩惠。侍，同类、伴侣。

⑤依道：道，道德、道义。依道，遵循道法。

⑥养使小人：豢养、驱使自己所救的被拘执之人。

⑦世异时危：坏世道，危难之时。

⑧阗：充满。

⑨伐害能言：故能言之士多被残害。

⑩破德为雄：被迫放弃德行铤而走险。

⑪抑拘成罪：遭到拘捕成为囚犯。

⑫戚戚：忧心貌。

⑬败败自立：尹曰：“谓天未悔过，危败相仍，君子穷而必通，终能自立，若管敬仲者也。”

【译文】

所谓“中经”，说的是帮助穷困，救济危难，能做到这个的，一定是那些能言善辩、道德深厚的人。如果解救了牢狱中的人，那么这个穷途末路的人一定不会忘记对方的恩惠。能言善辩的人，必定能够多做善事，广施恩惠；那些对人施行德义的人，都依道行事。救人出囹圄的人，必定能够豢养、驱使那些被援救的人。士大夫常常生不逢时，遭遇危难之时，有的人能在战乱中九死一生，免于死亡；有的人能言善辩，反遭谗害；有的人被迫放弃德行铤而走险；有的人遭到拘捕成为囚犯；有的人想戚戚独善其身；有的人危败相仍，却能自强自立。由此而论，为人处世之道，最重要的是挟制别人，而不能被人挟制。挟制别人的人，便能够牢牢地把握住权柄；受人挟制者，命运就掌握在别人手中。

【原文】

（二）

是以见形为容[1]，象体为貌[2]，闻声知音[3]，解仇斗郄[4]；缀[5]去；却[6]语，摄[7]心，守义[8]。《本经》记事者，纪道数，其变要在《持枢》《中经》[9]。

【注释】

①见形为容：观人形貌而知内情。

②象体为貌：观人体态而知内心。

③音：弦外之音，本意。

④郄（xì）：隙。

⑤缀：连，系。

⑥却：退。

⑦摄：取。

⑧守义：恪守正义。

⑨《本经》……《中经》：《本经》讲述的是一般的处世道理和技巧，至于其权要变化，则都在《持枢》《中经》中讲述。

【译文】

所以，看见外形要能判断面容，估量身材要能推知相貌，听到声音要能随声附和，要善于解除仇恨和与敌斗争，要善于挽留想要离去的人和对付前来游说的人，要善于摄取真情和恪守正义。《本经》讲述的是一般的处世道理和技巧，至于其权要变化，则都在《持枢》《中经》中讲述。

【原文】

（三）

见形为容、象体为貌者，谓爻[1]为之生也。可以影响[2]形容，象貌而得之也。有守[3]之人，目不视非，耳不听邪，言必《诗》

《书》[4]，行不淫僻[5]，以道为形，以德为容，貌庄色温，不可象貌而得之。如是，隐情塞郄[6]而去之。

【注释】

①爻（yáo）为之生：此指见卦爻便可测出吉凶。爻，组成卦的符号，分为阴爻、阳爻。

②影响：此指言语行事。

③守：操守。

④《诗》：《诗经》。《书》：《尚书》。

⑤淫僻：过度和邪僻。

⑥郄：漏洞。郄，同隙。

【译文】

所谓见形为容、象体为貌之术，讲的是像在占卦时看到卦爻就可推测吉凶一样，可以从一个人的言语行事、外在形貌体态等方面探知他的内心世界。但是，用此术对付那些有操守的人却不行。有操守的人眼睛不看非礼之物，耳朵不听邪恶之言，言必《诗》《书》礼义，行为既不过度也不邪僻，动合大道，行为端庄，道貌岸然，是一些用理性压抑了真情的人，这样的人就难以从外貌形态去判断他们的内心世界。遇到这种对手，就赶快隐藏起自己的真情，避免自己的言语中出现漏洞，早早离他们而去。

【原文】

（四）

闻声知音者，谓声气不同，恩爱不接。故商、角[1]不二合，徵、羽不相配[2]，能为四声主者，其唯宫乎[3]。故音不和则悲，是以声散、伤、丑、害[4]者，言必逆于耳也。虽有美行、盛誉，不可比目[5]、合翼相须也。此乃气不合，音不调者也。

【注释】

①商、角：皆古代五音之一。清人陈澧《声律通考》（卷一）曰：“五

声：宫、商、角、徵、羽，始见于《周礼》，下至赵宋，未之有改。近世俗乐以工尺字谱代之。”商属金，角属木，徵属火，羽属水。由于金木水火土五行相克而不相合，所以才有乐声不调和的现象。

②徵……相配：此乃以五行附会五音。

③为四……宫乎：宫：五音之一，被视为土，能和其他四音。

④散、伤、丑、害：尹知章曰：“不和之音。音气不和，必与彼乖，故其言必逆于耳。”

⑤比目：比目鱼。只有一只眼睛的鱼，总是两条并游。合翼：比翼鸟。只有一眼一翅的鸟，总是两只并羽齐飞。须：求。

〔译文〕

所谓闻声知音之术，说的是人与人如果言语不合，意气不投，就不会相互恩爱友善。这就像五音中商音角音不能相合，徵音羽音不能相配，而能协调以上四音的，只有宫音一样。所以五音不协调就不悲壮，那些散、伤、丑、害等不和之音，更不成声调，用这些音来游说必然难于入耳，意气不投之人，言语必逆于耳。即使他们有美好的操行、备受赞誉，也依旧不能像比目鱼、比翼鸟那样恩爱无间，同气相求。这就是因为意气不投，音调不和谐的缘故！

〔原文〕

（五）

解仇斗郄，谓解羸微[①]之仇；斗郄者，斗强也[②]。强郄既斗，称胜者高其功，盛其势也[③]；弱者哀其负，伤其卑，污[④]其名，耻其宗[⑤]。故胜者闻其功势，苟[⑥]进而不知退；弱者闻哀其负，见其伤，则强大力倍[⑦]，死者是也。郄无[⑧]强大，御[⑨]无强大，则皆可胁[⑩]而并。

〔注释〕

①羸微：此指弱小者。羸，瘦，此指势弱。微，小，此指地位低。

②谓解……强也：此术讲如何解斗买友。弱者相斗，自己可控制他们，故解之令皆归己；强者相斗，自己难以控制任何一方，故令其斗，待双方皆弱后各个击破，胁迫他们归己。

③强郄……其势也：强郄，有隔阂的强者。

④污：玷污。

⑤耻其宗：耻于祖宗受辱。

⑥苟：苟且。此为只懂得。

⑦倍：背向，抛到脑后。

⑧无：不论。

⑨御：指对手。

⑩胁：胁迫。

【译文】

所谓解仇斗郄之术，解仇，是说要调解两个弱者之间的敌对关系；斗郄，说的是令有嫌隙的强者相斗，两个强者既然斗起来，就必然有一胜一负，这样我们既控制住弱者，又控制住强者。让有嫌隙的强者发生争斗，对胜了的一方，则夸大他的功业，张大他的声势；对失败的一方，则对他的失败表示哀怜，对他的位势表示伤心，蛊惑他：这一次一定丢了声名，还对不起祖先。这样，胜方听到我们称道他的功业和威势，便只知道进攻不知道适可而止；而败者听到我们哀叹其失败，见到自己被损伤，就必然不忘战争创伤，努力使自己强大，加强力量，为此而拼命。这样，无论多么强大的敌手和对手，都会因此而削落，都会在削落后为我们胁迫、并吞。

【原文】

（六）

缀去者，谓缀已之系言[①]，使有余思也[②]。故接贞信者，称其行，厉[③]其志，言为可复，会之期喜[④]。以他人之庶，引验以结往，明款款而去之[⑤]。

【注释】

①系言：系留人心之言。

②余思：此指怀念，留恋。

③厉：勉励。厉，励古今字。

④期喜：约定高兴的晤面日期。期，约期。

⑤以他……去之：款款，诚心貌。

【译文】

所谓缀去术，说的是向即将离去的人倾吐挽留他、赞美他的肺腑之言，使他人走了还十分留恋我们。所以，对将要离去的诚信君子，要称赞他的品行，激励他的意志，赞美他品行可嘉，告诉他还会见面，并与他约下见面日期，让他心中高兴。并利用别人的教训来验证自己以往的行动，某人离去了还与这里保持良好关系，来证明我们对他的至诚心意。这样，他人虽离去了，但心还留在这里。

【原文】

（七）

却语者，察伺短[①]也。故言多必有数短之处，识[②]其短，验之。动[③]以忌讳，示以时禁。其人恐畏，然后结信，以安其心，收语盖藏[④]而却之。无见[⑤]己之所不能于多方之人。

【注释】

①察伺短：考察窥伺短处。
②识：记住。
③动：以……动其心。
④盖藏：遮盖。却：退。
⑤见：显露。

【译文】

却语术，就是要侦察对手的弱点。因为对手的话说多了，必然会有失言的地方。我们就把对方的短处默默记在心里，并把它与事实相验证。必要时，把他何时所讲犯了什么忌讳，触动了哪条当朝禁令的事讲给他听，他必然十分恐惧害怕。然后再争取和安抚对手的恐慌之心，说自己不会讲出去。而自己却把这些把柄藏在心里，退到背后去挟制他。由此而论，我们自己就千万不可让别人抓住我们的把柄。

【原文】

（八）

摄心者，谓逢好学伎术[①]者，则为之称远[②]。方验之道[③]，惊以奇怪，人系其心于己。效之于人，验去，乱[④]其前，吾归诚于己。遭[⑤]淫酒色者，为之术；音乐动之，以为必死，生日少之忧[⑥]。喜以自所不见之事，终可以观漫澜之命[⑦]，使有后会[⑧]。

【注释】

①伎术：技艺道术。伎、技古通，详《捭阖》注。

②称远：称扬到远方。

③方验之道：以己以往之经验检验之。

④乱：理也。

⑤遭：碰到。淫：过度，沉湎。

⑥日少之忧：忧虑死期将近。

⑦漫澜之命：广阔前途，光明前景。漫澜：无限遥远的样子。

⑧后会：日后与我们期会。

【译文】

摄心术，说的是碰到那些喜欢学习技艺道术的人，就要为他们扩大宣传，并设法从多方面来证实他们的技术。使之受宠若惊，感到无可非议。然后用我们的知识去检验他学到的技艺道术，评价时恰当充分，使他惊讶于我们知识的广博和看法的高明，在内心佩服我们。然后我们把他的道术技艺推广到实践中，帮他检验以往之不足，整理当前之经验，使他心悦诚服地归附我们。若遇到那种沉湎于酒色不能自拔的人，则采用另一种手段。先用音乐、道术使他猛醒过来，使他认识到这样下去必步入死亡之渊。再用那些他们所不曾见过的美好景象来刺激他们的情绪，使他们看到人生的道路是丰富多彩的，对未来充满信心。

原文

（九）

守义者，谓以人，探其在[1]内以合也。探心，深得其主也。从外[2]制内，事有系曲[3]而随之。故小人比[4]人，则左道[5]而用之，至能败家夺国。非贤智，不能守家以义，不能守国以道。圣人所贵[6]道微妙者，诚以其可以转危为安，救亡使存也。

注释

①在：内在，本心。

②外：外部手段。

③曲：委曲，曲心。

④比：比拟。此指效法。

⑤左道：旁门邪道。

⑥贵：看重。

译文

守义术，说的是用仁义道德律条去探测对方的内心世界，看其是否真正符合仁义标准。探寻人们内心的想法，以求得判断与事实相符合，我们就可以用相应的权术从外部控制他的内心。这样，若有事委托他办，他必然会曲心下意地迎合我们。由此可见，若小人效仿我们的做法，就会用左道旁门之术，致使人们家破国亡。所以说，除非大智圣贤之士，不能用仁义守家，不能用大道守国。圣贤之人所以看重那些微妙无比的道术，是因为运用它们的确可以转危为安，拯救亡难。

渔翁之利——曹操隔岸观火灭袁氏

“隔岸观火”意思是说，如果敌方内部分裂，矛盾激化，相互倾轧，势不两立，这时切切不可操之过急，免得反而促成他们暂时联手对付你。正确的方法是静止不动，让他们互相残杀，力量削弱，甚至自行瓦解，从而达到兵不血刃、不战而屈人之兵的目的。曹操乃一世之奸雄，隔岸观火的伎俩玩得是炉火纯青。

公元 202 年，袁绍一病不起，继而去世。三个儿子开始了争权夺利的斗争：长子遭摒弃在外，权力由次子接管。幼子支持这一决定。长子当然不买账，为此，袁家兄弟开始互斗。

当时，狡诈的曹操把他们兄弟的内讧看成是一次机会，于是发动攻击。然而，他的威胁使袁家兄弟把争斗置于一旁，团结御敌。曹操撤回部队，留给袁家兄弟更多的时间去酝酿内战。袁家兄弟又各持己见，战争逐步升级。

此后 3 年，曹操充分利用了袁家兄弟的不团结，占领了他们的部分领土。

公元 205 年，曹军袭击并杀死了袁家长子。此时，曹操已经占领了袁氏家族的大部分领地。袁家两兄弟被迫逃离自己的疆土。跑到北方乌桓寻求庇护。

两年后，即公元 207 年，曹操对庇护袁家兄弟的乌桓族发动袭击。一番长途行军后，曹军摧毁了乌桓族，并杀死了族首领，袁家两兄弟乘机逃跑。他们又投奔到公孙康的麾下。

平定河北之后，夏侯惇等人劝曹操说：“辽东太守公孙康一直没有臣服我们。现在袁熙、袁尚又去投奔他，必定成为我们的后患。

不如趁他们还没有防备之际就去讨伐，这样就能取得辽东了。”曹操却笑着说：“不烦你们再次出兵了。几天之后，公孙康会把二袁的首级亲自送来。”诸将都不相信。没过几天，公孙康果然派人将袁熙和袁尚的首级送来了。众将大惊，都佩服曹操料事如神。曹操大笑说：“果然不出奉孝所料！”说着，拿出郭嘉临死前留给他的一封信。郭嘉在信中写道：“如果听说袁熙、袁尚去投靠辽东，主公千万不要加兵。公孙康一直担心袁氏被吞并之后，二袁去投奔他。倘若率兵去攻打他，他们肯定并力迎敌，欲速则不达；倘若慢慢地谋取，公孙康、袁氏兄弟必然会互相图谋对方。”

原来，袁绍在世之日就一直有吞并辽东之心，公孙康对袁氏家族恨之入骨。这次袁氏二兄弟去投奔，公孙康就存心想除掉他们，但又担心曹操引军攻打辽东，想利用二人助己一臂之力。所以，袁熙、袁尚二人来到辽东，公孙康并没有马上相见，而是派人迅速前去探听曹军的动静。当探子回报曹操并无攻打辽东之意时，公孙康立即将袁熙、袁尚斩首，使曹操兵不血刃便达到了目的。

鬼谷子《中经》有言曰：“解仇斗郄，谓解赢微之仇；斗郄者，斗强也。”解仇，说的是调解弱小者的仇斗；斗郄，说的是令有嫌隙的强者相斗，以便我们既控制住弱者，又控制住强者。人性就是微妙，有时候不是败给对手，而是败给自己。袁氏兄弟面对强敌，能够齐心协力、一致对外，使得曹操不敢轻举妄动；但是外界的威胁一旦解除，又开始相互争斗，从而给了虎视眈眈的曹操可乘之机，让他得以各个击破，并逐步蚕食袁氏地盘。这已经展现了曹操的高明之处。但是，更高明的还在后面，慌不择路的袁氏兄弟竟然逃至公孙康处避难，对此，素有“鬼才”之称的谋士郭嘉是深知公孙康与袁氏家族间有“隙”，故曾献策于曹操，正好可以利用公孙康之手借刀杀人，免除后患。

可叹，这袁氏兄弟本想找寻避难所，没想到竟然是羊入虎口。所以，表面看来袁氏兄弟是死于曹操与公孙康之手，但从某种意义上来说也是死于人性的自私贪婪和愚昧上。

【商战博弈】

恪守诚信——俞敏洪“千里打飞的”

中国是个有五千年悠久历史的文明古国，诚信一向是中国人引以为傲的美德，“人无信而不立”。诚信是一切道德赖以维系的前提，这也是鬼谷子《中经》的应有之意。所谓“诚以其可以转危为安、救亡使存也”。诚信的重要性也就不言而喻了。

诚信是一个人的立身之本。在生活中，就应坚守“君子一言，驷马难追”的道义，一旦与别人约定，就要努力去兑现，实现自己的承诺。俞敏洪正是恪守承诺的杰出代表。

在俞敏洪的自传《永不言败》一书中，记载了这样一个感人的故事：

2005 年 6 月 17 日，俞敏洪和他的家人在加拿大温哥华，准备乘当天中国国际航空公司的飞机回北京。起飞前两个小时，航空公司突然打电话通知俞敏洪：因为天气的原因，当天航班取消。

老俞一听就急了，因为第二天他在北京安排了两个会议和一场学生讲座。如果改变归期，将使上千学生因为他的缺席而改变他们的安排，这是老俞最不希望发生的事情，所以他的第一反应就是一定要想办法当天回北京。

于是，他立刻打电话到加拿大的航空公司查询，虽然国航取消了，别的航空公司说不定会有航班，可是查询的结果是：加拿大航空公司的座位已全部订满，并且很快就要起飞。失望之余，他又迅速查询了加航飞往上海和香港的飞机，也都是满员。眼看明天到达的希望落空了，老俞十分失望。朋友们纷纷劝他说：别再折腾了，好好休息一下，明天再走吧。老俞想也只能这样了，便沮丧地坐上汽车，离开了机场。

车行半道，老俞忽然想起看到过的一篇报道，说中国东方航空公司将于近期开通从上海到温哥华的航班，但他忘了是哪一天开通。不管怎样，这是最后一线希望，于是他让朋友立刻掉转车头回到机场。查询后发现这一天恰好是飞机首航的日子，而且离起飞还有两个多小时。事不宜迟，俞敏洪马上跑到国航的值班柜台，要求他们给他签票到东方航空的飞机上。工作人员一脸为难，因为两个航空公司之间没有联营关系。老俞苦苦哀求，反复陈述他必须回去的理由，终于打动了工作人员。

经过了十几个小时的飞行，俞敏洪一家终于回到了上海。他们拖着行李从上海浦东机场坐车赶往虹桥机场，坐最晚的一班飞机回北京，到家已是后半夜了。虽然累得筋疲力尽，俞敏洪却感到心里的一块石头落地，因为第二天，他可以准时面对等待着他的同事和学生了。

恪守诚信是俞敏洪安身立命的根本原则，在他心里，承诺的分量重于泰山。为了准时赶往现场，而不惜“千里打飞的”的事不止发生过一次。

2006年6月29日，合肥新东方学校将举行盛大的开业庆典，俞敏洪应邀讲演。在晚上的6点30分，俞敏洪还要准时出席在福建农林大学举办的一场公益讲座，俞敏洪的计划是参加完合肥的开业庆典后，马上飞往福建。

可是，老俞在28日的下午，听到了一个不好的消息：从合肥飞往福建的航班被取消了。这时的俞敏洪心里只有一个念头，一定要想尽一切办法及时赶到福建！

于是，俞敏洪马上指示新东方的工作人员都参与到查询航班的队伍中来。老俞在合肥做演讲的时候，合肥新东方学校、福州新东方学校两边的工作人员都在网络上搜寻着可能的航线。

在没有直达航班的情况下，只能采取转机的形式，当时有这样几条线路是开通的：合肥、杭州、福州等，工作人员精确地计算着：合肥飞杭州，杭州飞福州？不行，起飞的时间赶不上！合肥飞上海，上海飞福州？不行，讲座赶不上……最后，唯一可行的线路确定了：让老俞先从合肥飞深圳，再从深圳飞厦门，接着从厦门飞福州——

这样的行程不亚于国际航班，再加上当时 38.7 摄氏度的高温天气，老俞要经受的辛苦可想而知。

所有新东方的工作人员都在密切关注着航班的动向和俞敏洪的行程，福州新东方学校的人员派出专车在机场等候，老俞一下飞机就把他火速送到福建农林大学。

晚上 6 时，俞敏洪准时出现在福建农林大学的讲台上，所有人心中的大石才落下。老俞还来不及擦去脸上的汗、喝上一口水，一路奔波的他稍稍有些疲惫，但一看到那么多双渴望的眼睛，他的状态马上又恢复了。

其实俞敏洪完全可以打个电话过去说明一下自己的情况，没必要“千里打飞的”，但是他不想因为自己的缺席而影响到他人。在他的行为准则里，有一个“信”字支持着他，给予他力量。

是的，一个人做人做事的成功根本，只有依靠“诚信”二字。你先对别人有诚信，别人才会对你有诚信。人一旦不讲诚信，在社会上就无立足之地，什么事情都做不成，因为没有人会相信他。同时，“诚信”不仅是立人之本，更是一个企业的立业之本。一个企业，好声誉就是其最响亮的招牌，只有做到诚实不欺、恪守信用，才能获得更多客户的信赖，获得社会的认可，企业才能走得更远、更稳。

【职场之道】

互利共赢——寻找合作的基础

让人为己所用，不仅仅是讨得他的欢心就可以了，更要让对方知道自己的可用之处，双方利益交换，对方才会更为爽快。

有一家专营儿童玩具的公司在创业初期时，产品销路不畅。公司的董事长就到各地去做旅行推销，希望代理商们积极配合，使他们生产的玩具能够打入各级市场。